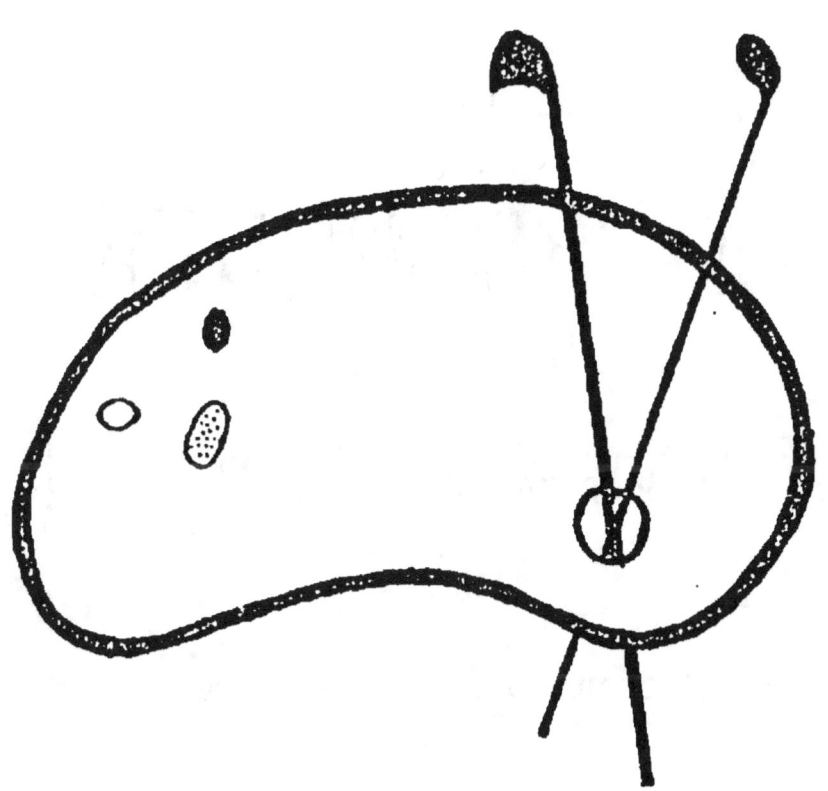

DEBUT D'UNE SERIE DE DOCUMENTS
EN COULEUR

(conserver la Couverture)

FORCE ET SANTÉ

LA
VIE PROLONGÉE

AU MOYEN DE LA

MÉTHODE DE BROWN-SÉQUARD

PAR

le Docteur L.-H. GOIZET

~~~

PARIS

LIBRAIRIE MARPON & FLAMMARION

E. FLAMMARION, SUCC^r

26, RUE RACINE, PRÈS L'ODÉON

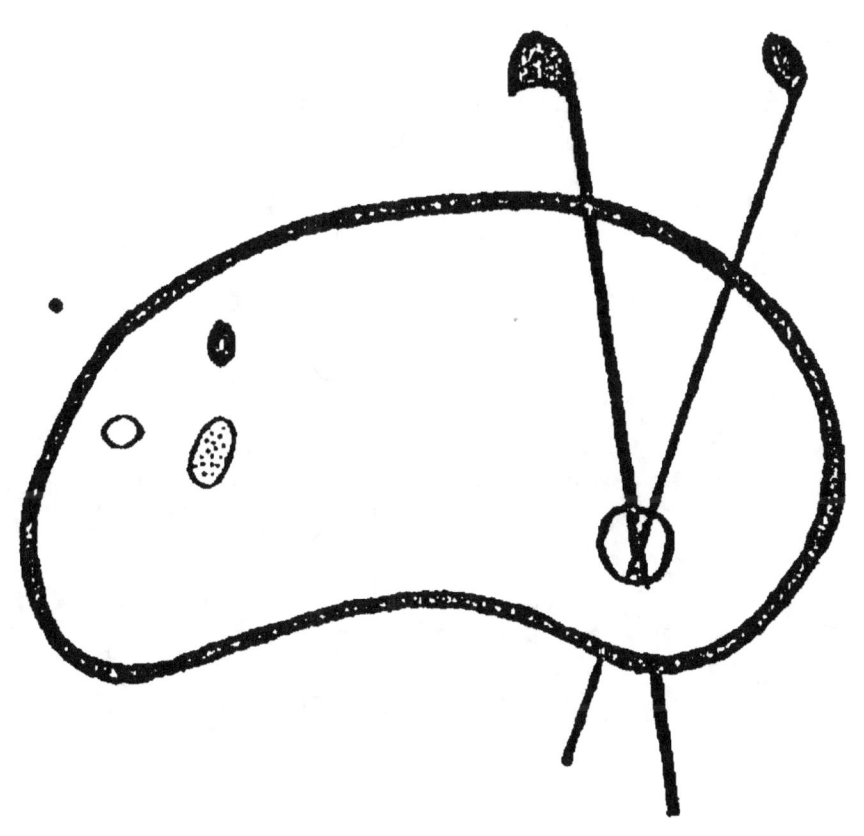

FIN D'UNE SERIE DE DOCUMENTS
EN COULEUR

LA VIE PROLONGÉE

FORCE ET SANTÉ

LA
VIE PROLONGÉE

AU MOYEN DE LA

MÉTHODE BROWN--SÉQUARD

PAR

LE DOCTEUR L.-H. GOIZET

De la Faculté do médecine de Paris, Fondateur de l'Institut
de la ruo de Berri.

> Des faits, des faits, encore des faits, toujours des
> faits! C'est à coups de faits que je forcerai les aveu-
> gles à voir, les sourds à entendre, les muets à parler,
> ceux mêmes qui ne veulent ni voir, ni entendre, ni
> parler.

PARIS

LIBRAIRIE MARPON & FLAMMARION

E. FLAMMARION, SUCC^r

26, RUE RACINE, PRÈS L'ODÉON

AU LECTEUR

Je me suis efforcé, en écrivant ce livre, de le
mettre à la portée de tout le monde et de faire
en sorte que sa lecture suffise aux personnes les
plus étrangères à la médecine. Ceux-là même
qui, par impossible, n'auraient jamais entendu
parler du professeur Brown-Séquard et de sa méthode, pourront comprendre l'importance de sa
découverte, apprécier les bienfaits qui en résul-
teront pour l'humanité, et se mettre à même de

1.

se l'appliquer sans l'aide de personne en tous temps et en tous lieux. Qu'on le sache bien, le vaccin séquardien n'est pas seulement un aphrodisiaque, c'est un régénérateur, c'est une force et non un excitant. Il ne guérit aucune maladie, mais comme la plupart des affections qui éprouvent l'humanité proviennent de la débilité générale ou partielle de l'organisme, rendant à celui-ci sa vigueur, le mal disparaît de lui-même.

Par son usage, les fonctions de la génération seront heureusement influencées au même titre que les autres fonctions physiologiques, telles que la circulation ou la digestion, mais rien de plus.

C'est un frein d'une innocuité complète, destiné à retarder la marche fatale de l'homme vers la vieillesse. En un mot c'est le principe de vie, plus efficace que la transfusion du sang et tous les autres procédés connus, employés pour combattre la décrépitude humaine et en arrêter les désastreux effets.

Le maintien des forces doit nécessairement prolonger l'existence, éviter les infirmités provenant de la sénilité et rendre plus douce la dernière phase de la vie.

Or, lorsque vous aurez lu ce volume, rempli de preuves irréfutables et compréhensibles pour tous, vous serez convaincu, comme je le suis moi-même, de la puissance du vaccin sequardien toutes les fois qu'il s'agit de tenir en état les forces physiques et intellectuelles ou de les relever lorsqu'elles sont tombées.

C'est dans ce sens que j'en ai fait le premier l'application aux phtisiques avec un succès qui a dépassé toutes mes espérances (1).

De la conviction à l'essai, il n'y a qu'un pas qui sera bientôt franchi, et, quand vous aurez constaté sur vous-même ou sur les vôtres, les merveilleux effets de cet agent incomparable, vous deviendrez un apôtre zélé de la nouvelle doctrine, prêchant avec l'ardeur que seule peut donner la foi.

---

(1) J'ai appris l'an dernier déjà, et depuis lors, que plusieurs médecins avaient traité des malades, atteints de tuberculose pulmonaire, à l'aide d'injections sous-cutanées du liquide testiculaire, et qu'ils croyaient avoir obtenu des effets curatifs très remarquables. Je me suis refusé, et je

me refuse encore, à admettre que la phtisie pulmonaire
puisse être guérie par l'entrée dans le sang d'un ou de
plusieurs principes solubles contenus dans certaines
parties des organes génitaux mâles. J'admettais cependant
que, sous l'influence dynamogénique exercée sur les
centres nerveux par le liquide testiculaire, il pouvait y
avoir :

1° Une grande augmentation de force;

2° Une cessation de la fièvre et des sueurs;

3° Une amélioration notable de la digestion, de la nutrition et des sécrétions.

Au mois de juin dernier, j'ai engagé le docteur Goizet
à faire des essais d'injections sous-cutanées de ce liquide sur
des phtisiques. Il l'a fait sur trois malades atteints de tuberculose pulmonaire au second degré. L'effet produit a été
bien au delà de ce que nous avions osé espérer : les
symptômes ont disparu, et les malades ont gagné en poids
et notablement en force. J'ai conseillé à M. Goizet d'attendre et de ne pas parler de ces faits jusqu'à ce que
d'autres cas semblables eussent été observés. Il a donc
gardé le silence jusqu'à ces derniers temps, où une publication du docteur Uspensky a appelé l'attention sur ce
mode de traitement de la tuberculose pulmonaire. Je ne
donnerai pas de détails (on en trouvera dans le numéro de
janvier prochain des *Archives de Physiologie*).

Sur la communication que ce médecin distingué a fait
tout récemment à la Société d'Hygiène de Saint-Pétersbourg,
je me bornerai à dire que M. Uspensky nous fait savoir
qu'il a obtenu, sur trente malades atteints de tuberculose
pulmonaire, la disparition des symptômes et un gain
notable en force et en poids.

J'ai cru de mon devoir de signaler ces faits à la Société et d'appeler sur eux l'attention des praticiens, me bornant à ajouter qu'à l'aide des injections hypodermiques de liquide testiculaire, filtré avec soin et employé dans de bonnes conditions d'antisepsie, il n'y a craindre aucune réaction dangereuse, fébrile ou autre.

(Déclaration de Brown-Séquard à la Société de Biologie, le 20 décembre 1890.)

LA VIE PROLONGÉE

PREMIÈRE PARTIE

CHAPITRE I

Communication faite par le Dr Brown-Séquard à la Société de biologie sur la puissance dynamogéniante chez l'homme d'un liquide extrait des testicules d'animaux vivants ou venant de mourir. — Comment elle fut accueillie. — De l'influence fâcheuse du côté grivois que certains esprits bornés donnèrent à la question, en affectant de ne considérer le vaccin Brown-Sequardien que comme un aphrodisiaque. — Notre appréciation.

Dans le courant du mois de juin 1889, le docteur Brown-Séquard faisait à la Société de biologie la déclaration suivante :

J'ai soixante-douze ans; je suis, en général, en très bonne santé, à part du rhumatisme et du mérycisme. Ne prenant pas d'exercice depuis plus de trente ans, ma vigueur naturelle, qui a été considérable, a graduellement diminué et, depuis dix ou douze ans, je suis devenu très faible.

Le 15 mai dernier, avec l'assistance de MM. d'Arsonval et Hénoque, après avoir lié le plexus veineux testiculaire, j'ai fait, sur un chien, âgé de deux à trois ans, très vigoureux, l'ablation d'un des testicules. Après avoir coupé en petits morceaux la totalité de cet organe, avec une grande partie du vaisseau déférent, j'ai jeté tous les morceaux dans un mortier en y ajoutant une minime quantité d'eau. On a procédé alors au broiement, à l'écrasement de ces parties, de façon à en faire sortir autant de jus que possible. Après une nouvelle addition d'eau, on a versé tout le liquide obtenu et les portions de glande aussi, sur un excellent filtre en papier. La filtration s'est faite lentement et l'on a recueilli 4 centimètres et demi d'un liquide peu transparent et légèrement teinté de rose. Je me suis injecté sous la peau d'une des jambes près d'un centimètre cube de ce liquide le lendemain et le surlendemain, ainsi que les 24, 29 et 30 mai, et le 4 juin je me suis fait de nouvelles injections dont les cinq dernières ont été faites avec du liquide retiré de cobayes jeunes ou adultes, mais très vigoureux. Le nombre des injections a été de dix, presque toutes aux jambes, les autres à la cuisse et au bras gauche. Dans tous ces cas, la proportion du liquide retiré des testicules, n'a jamais été au-dessus d'un cinquième de son mélange avec de l'eau. Chaque injection a été d'environ un centimètre cube de ce mélange. Trois parties distinctes composaient le mélange : 1° du sang; 2° du sperme; 3° du suc donné par la glande. Ces diverses substances ont été employées simultanément.

Dans presque tous les cas, je me suis servi du filtre Pasteur. Le liquide employé était transparent et incolore. Toutes les injections ont été un peu plus douloureuses que celles d'eau pure ou contenant des alcaloïdes.

Au bout d'un temps assez court, variant de quelques minutes à un quart d'heure, ces douleurs ont disparu; mais après une demi-heure ou trois quarts d'heure, elles ont reparu et acquis très rapidement, dans la plupart des cas, une grande intensité. Leur violence a été telle qu'il m'a été presque impossible de dormir dans les nuits qui ont suivi toutes les injections.

La durée moyenne de ces douleurs, à leur état de violence, a été de dix à douze heures; mais elles ont, en général, après une très notable diminution, persisté plusieurs jours. En même

temps que ce phénomène, une rougeur érythéma-
teuse et même quelquefois des stries d'angioleu-
cite, se sont montrées avec du gonflement et de
la chaleur, dans une étendue de 2 à 3 centimètres
carrés, à l'endroit non de la piqûre, mais de la
partie ou le liquide avait été lancé.

Les douleurs et cet état inflammatoire ont été
bien plus marqués aux membres inférieurs.

J'aurais pu aisément éviter ces mauvais effets
des injections : il aurait suffi pour cela de diluer
davantage le liquide extrait de la glande employée.

Mais je tenais à connaître exactement les
risques de l'expérience et aussi à obtenir le maximum des bons effets attendus.

Pour ces deux raisons, j'ai préféré employer
une liqueur condensée.

Je dois dire que des expériences très nombreuses faites sur des chiens et des lapins
m'avaient démontré l'innocuité de ces injections
et que je croyais, conséquemment, pouvoir compter que si les effets locaux étaient pénibles, il n'y
aurait aucun mauvais effet général.

Avant de signaler les effets favorables de ces
essais, je prie que l'on m'excuse de tant parler
de ma personne.

J'espère que l'on comprendra aisément que ma
démonstration ne pouvait avoir de valeur que par

les détails concernant ma santé, ma vigueur et mes habitudes, avant ces expériences et ceux qui ont pour objet les effets produits.

Avant le 15 mai, jour de la première injection, j'étais si faible qu'il fallait toujours m'asseoir après une demi-heure de travail, debout, au laboratoire.

Même lorsque je restais assis tout le temps ou presque tout le temps, pendant mon travail au laboratoire, j'en sortais toujours épuisé après trois ou quatre heures d'expérimentation, et quelquefois il en était ainsi, même après deux heures seulement.

De 1879 à 1881 et depuis deux ans, demeurant assez loin de mon laboratoire, bien que je rentrasse chez moi en voiture, vers six heures, après quelques heures passées au travail expérimental, j'étais si fatigué qu'il me fallait toujours gagner mon lit après avoir pris rapidement une très petite quantité d'aliments.

Très fréquemment, depuis plus de dix ans, l'épuisement était tel, après le travail de laboratoire, que je ne pouvais m'endormir qu'après un temps très long, bien que fort enclin au sommeil, et je m'éveillais excessivement fatigué, n'ayant dormi que très peu.

Le lendemain du jour de la première injection

et plus encore les jours suivants (cinq injections ont été faites en trois jours, les 15, 16 et 17 mai) un changement radical eut lieu en moi, et j'eus des motifs plus que suffisants pour dire, le 1ᵉʳ juin, que j'avais gagné au moins toute la force que je possédais il y a de nombreuses années.

Un travail considérable au laboratoire me fatiguait à peine.

Au grand étonnement de mes deux principaux assistants et d'autres personnes j'étais devenu capable de faire des expériences pendant plusieurs heures, en me tenant debout, ne ressentant aucun besoin de m'asseoir.

Il y a plus : un jour, le 23 mai, après trois heures un quart de travail expérimental de nature fatigante, dans l'attitude debout, je me suis rendu chez moi si peu fatigué que j'ai été capable de me mettre à l'œuvre après dîner, pour la rédaction d'un mémoire sur des questions très difficiles.

Il y a plus de vingt ans que j'avais cessé d'être capable d'en faire autant (1).

_____

(1) Mes amis savent que depuis trente ou quarante ans le travail, après le dîner, m'était impossible et que j'avais l'habitude de me coucher vers sept heures et demie ou huit heures et de me mettre au travail, le matin, entre trois et quatre heures. Depuis mes premières injections, j'ai pu faire un travail intellectuel très sérieux pendant deux, trois et même (une fois) quatre heures après mon dîner.

Par suite d'une impétuosité naturelle et aussi pour éviter une perte de temps, j'ai eu, jusqu'à l'âge de soixante ans, l'habitude de descendre et de monter les escaliers en courant.

Ceci s'était modifié graduellement et j'en étais arrivé à faire assez lentement ces descentes et ces ascensions.

Il m'était même devenu nécessaire de tenir la rampe dans les escaliers raides.

Après la seconde injection, je constatai que j'avais regagné mes aptitudes perdues et que j'avais, sans y avoir pensé, repris mes anciennes habitudes.

Mes membres soumis à des mesures de leur force pendant la semaine qui a précédé mes expériences et durant le mois qui a suivi la première injection, ont montré un gain très notable de force.

Les fléchisseurs de mon bras droit mouvaient en moyenne 34 kilogrammes et demi (de 32 à 37 kilogrammes.) Après cette injection, cette moyenne s'était élevée à 41 kilogrammes (de 39 à 44 kilogrammes), le gain était donc de 6 à 7 kilogrammes.

Les fléchisseurs de l'avant-bras avaient ainsi recouvré, en très grande partie, la force qu'ils avaient il y a vingt-six ans.

2.

Ils mouvaient, à cette époque (en 1863) 43 kilogrammes (de 40 à 46 kilogrammes) (1).

Je dois dire que si quelques personnes croient
que la force mesurée au dynamomètre est très
variable, chez le même individu, dans la même
journée ou la même semaine, elles arrivent à
cette opinion, parce qu'elles ne tiennent pas
compte de l'état de santé du sujet et du moment
de la journée.

Si la digestion est bonne et si les autres fonctions ne sont pas troublées, on trouve, à la même
heure de la journée, que la force, mesurée au
dynamomètre, varie tout au plus de 5 à 6 kilogrammes.

Mais il faut pour cela que le sujet fixe toujours
l'instrument exactement de la même manière, et
qu'il fasse dans toutes les expériences *tout l'effort*
qu'il peut faire.

J'ai toujours tenu compte de toutes ces circonstances et, conséquemment, je puis dire que ce
que j'ai gagné a été considérable.

(1) Depuis mai 1860, j'ai enregistré d'une matière presque continue la force de mon avant-bras.

De cette époque, jusqu'en 1862, je mouvais quelquefois
jusqu'à 50 kilogrammes. Durant les trois dernières années,
de 1886 à 1889, le maximum que j'ai pu mouvoir a été de
38 kilogrammes. Cette année, avant l'injection, le
maximum a été de 37 kilogrammes. Après cette première
injection, il a été de 44 kilogrammes.

J'ai mesuré comparativement le jet de l'urine avant et après la première injection.

Les circonstances, dans les deux cas, étaient les mêmes. Les émissions comparées étaient celles qui suivaient des repas semblables, dans lesquels ce que je buvais et ce que je mangeais était de même espèce et de même qualité.

La longueur moyenne du jet, durant les dix jours qui ont précédé la première injection, a été inférieure d'au moins le quart de ce qu'elle a été durant les vingt jours qui l'ont suivie.

Il est certain, conséquemment, que la puissance de la moelle épinière sur la vessie a augmenté considérablement.

La plus pénible peut-être des infortunes de la vieillesse, consiste dans une diminution de la puissance de défécation.

L'expulsion des matières fécales était devenue chez moi, depuis une dizaine d'années, extrêmement laborieuse et elle était même presqu'impossible sans l'emploi de purgatifs et de moyens artificiels.

Je faisais usage, régulièrement, de laxatifs, moins contre la constipation, qui n'était que rarement très considérable, que pour augmenter l'action motrice des parois intestinales.

Dans les quinze jours qui ont suivi la première

injection, un changement radical est survenu dans l'acte reflexe de la défécation.

D'une part, j'ai eu bien moins besoin de laxatifs, et d'autre part, l'expulsion des matières fécales les plus rebelles, a pu se faire sans assistance mécanique et aussi sans lavement.

Il y a donc eu là un retour à l'état normal d'il y a nombre d'années.

J'ajoute que le travail intellectuel m'est devenu plus facile qu'il n'a été depuis très longtemps, et que j'ai regagné, à cet égard, tout ce que j'avais perdu.

Je puis dire que d'autres forces, non perdues, mais diminuées, se sont notablement améliorées.

Faite par un homme de l'importance du docteur Brown-Séquard, cette communication devait produire une véritable sensation dans le monde scientifique et bientôt après dans le public; et certes personne n'aurait pu se douter de la façon dont elle serait accueillie.

Un grand nombre de gouailleurs ignorants et de savants sceptiques, ne tenant aucun compte de la valeur personnelle de l'auteur de cette découverte, répondiront à cette importante communication par des sarcasmes ou par l'indifférence, oubliant même que, dans l'unique intérêt de la science et de l'humanité, Brown-Séquard n'avait pas craint d'expérimenter sur sa personne, au prix de cruelles souffrances et de réels dangers, les effets de l'agent nouveau.

Se moquer des choses qu'on ne peut justement apprécier sans les avoir contrôlées, est une tendance mauvaise qui devrait être l'apanage exclusif de l'ignorance; aussi n'avons-nous jamais pu comprendre la conduite des membres de la Société de biologie, en cette circonstance solennelle.

La génération ne joue-t-elle pas dans l'ensemble des fonctions physiologiques qui constituent la vie humaine, un rôle aussi important que n'importe quelle autre?

En même temps que cette fonction est une source de joies, il ne faut pas oublier que c'est en elle seule que réside l'éternité de la race, c'est-à-dire de l'humanité.

S'il s'était agi des glandes salivaires, du foie ou du pancréas, personne n'eût jamais songé à rire; je ne sache pas pourtant que les glandes salivaires, le foie ou le pancréas aient une importance plus grande que les testicules, source de la vie et de la création.

Il n'y a du reste qu'en France que les choses
se soient passées ainsi. A l'étranger, les médecins commencèrent immédiatement les expériences et s'empressèrent d'envoyer au maître les
résultats de leurs nombreuses et intéressantes
observations.

En France les moins hostiles affectèrent de ne
voir dans le vaccin séquardien qu'un aphrodisiaque,
sans vouloir comprendre que la force nouvelle
agit sur tout l'organisme et que, dans ces conditions, les fonctions génésiques doivent également
bénéficier des effets généraux qui se manifestent
au fur et à mesure de la régularisation des fonctions physiologiques.

Mais, on ne voulut pas plus examiner la question que si Brown-Séquard, au lieu d'avoir fait
une découverte géniale, avait été pris subitement
de folie érotique; et cette impression coupable fut
si unanime, qu'un grand nombre de médecins en
subissent encore aujourd'hui la fâcheuse influence.

Ce n'est qu'à force de faits éclatants et répétés
que je suis arrivé peu à peu à les rallier à la
vérité.

Combien les choses eussent été différentes, si
le corps savant avait reçu la communication du
maître avec tout le respect qui lui était dû et la
dignité qu'une aussi docte assemblée, dont toute

la science repose sur la précision des faits, ne devrait jamais abandonner.

Quant à moi, très frappé par la communication du savant professeur, je résolus d'étudier la question avec tout le soin qu'elle me semblait devoir comporter.

———

CHAPITRE II

Ce qu'est Brown-Séquard. — Importance que devait avoir nécessairement une méthode présentée par lui. — Ma première visite au maître. — Ma conviction qu'il était dans le vrai et ma résolution de me consacrer à l'exercice de sa méthode. — Mon premier malade. — Guérison d'un affaibli. — Ma communication à ce sujet à la Société de Biologie. — Certitude de l'efficacité du nouveau remède comme reconstituant.

Nous n'avons pas à révéler au monde des savants ce qu'est le docteur Brown-Séquard, mais nous devons le dire au grand public auquel nous nous adressons aujourd'hui, afin qu'il sache bien de quelle importance doit être toute affirmation de cet homme éminent.

Professeur de médecine au Collège de France, membre de l'Institut, c'est-à-dire au sommet de la gloire que l'on peut acquérir dans la carrière qu'il a suivie, le docteur Brown-Séquard occupe dans le monde scientifique universel une des premières

3

placos, sinon la première, et la France doit être
fière de pouvoir le compter au nombre de ses plus
célèbres enfants.

Ses travaux sur le système nerveux, sont clas-
sés par les médecins du monde entier parmi les
œuvres les plus remarquables, et le font à juste
titre, l'égal de Claude Bernard.

Après avoir lu et relu la communication à la
Société de Biologie, je la trouvai claire dans l'exposé, précise dans les faits, possédant en tous
points, les précieuses qualités qui font de son
auteur un écrivain scientifique de premier ordre.
Dès lors, pressentant les nombreux et bienfaisants résultats qui devaient sortir de l'application de cette force nouvelle, j'allai voir le maître,
afin de m'assurer par moi-même qu'une illusion
sénile ne l'avait point égaré.

Cette visite marque dans ma vie une journée
trop importante, pour qu'elle ne soit pas restée
dans mon esprit aussi présente en ses moindres
détails que si j'étais à son lendemain.

Pendant plusieurs heures, le maître se montra
aussi lucide et aussi puissant que jamais, mettant
sous mes yeux les nombreux documents qu'il possédait, m'expliquant la marche et les résultats
de ses études, les appuyant de tant de preuves,
que je le quittai aussi convaincu que lui-même

et décidé à me mettre immédiatement à l'œuvre.

L'occasion ne se fit pas attendre.

Un de mes voisins, M. Masseron, sculpteur, 7, rue de la Fidélité, dont j'étais le médecin depuis dix-huit ans, me sollicita de le traiter par le vaccin séquardien, et je pus ainsi immédiatement tenter ma première expérience.

Ce fut un véritable succès.

Voici du reste l'observation que j'ai communiquée à la Société de Biologie, le 7 novembre 1890 :

OBSERVATION I

M. Masseron, sculpteur, soixante-neuf ans, tempérament sanguin, d'une force musculaire bien au-dessus de la moyenne, doué d'un appétit excellent qu'il mettait à profit sans excès et d'une activité intellectuelle considérable, n'avait jamais été malade avant 1887. Au mois de juillet de cette année, travaillant dans son jardin sous un soleil ardent, il s'affaissa tout à coup sans souffrance, ses jambes refusant de le porter. Il ne put se relever sans aide, et ce fut quelques jours après seulement qu'il recommença à marcher. Depuis lors, les membres inférieurs ont toujours été lourds et sans forces. La paraplégie était incomplète, mais l'influx nerveux était insuffisant au bon fonctionnement des jambes.

Peu à peu de nouveaux symptômes se manifestèrent; la constipation opiniâtre, l'incontinence d'urine pen-

dant la nuit, un état catarrhal des bronches presque
constant, un peu d'œdème malléolaire le soir, un développement exagéré de l'embonpoint. Tel fut au physique, le fâcheux cortège qui fit progressivement son
apparition. Au moral, la gaieté habituelle avait disparu,
la mémoire avait considérablement baissé et la faculté
de travail était presque nulle.

Au mois de décembre dernier, M. Masseron ne pouvait plus quitter son appartement et ses forces décli-
naient rapidement, quand il fut violemment atteint par
l'épidémie d'influenza.

Obligé de m'absenter pour plusieurs semaines, mon
malade fut confié aux soins du docteur Caresme. Malgré tous les efforts de mon savant confrère, M. Masseron allait de plus en plus mal, si bien qu'à mon retour
je le trouvai dans un état qui ne laissait guère d'illusion sur le dénouement fatal et prochain. Le cœur était
très affaibli, l'œdème avait envahi les jambes, les
cuisses et le péritoine; les poumons engoués dans
toute leur étendue, les bronches remplies de sécrétions
que la toux était impuissante à expulser rendaient la
respiration difficile; la fièvre était intense, l'appétit
nul, le délire presque constant. Les forces étaient déprimées à ce point que M. Masseron, ne pouvait plus se
remuer dans son lit. Les évacuations d'urine et de matières fécales étaient involontaires; enfin, le malade
était au plus bas. A force de soins, M. Masseron avec
des alternatives de mieux et de plus mal, atteignit le
mois de mai, sans me laisser pour cela le moindre
espoir de le remettre sur pied.

Ce fut à ce moment que M. Masseron me demanda de
pratiquer sur lui les injections du suc testiculaire,
d'après la méthode du professeur Brown-Séquard. Il
mit une telle insistance dans sa résolution que je consentis à faire l'essai de la méthode de l'illustre maître

Une fois bien renseigné sur le *modus operandi*, je me mis en mesure et la première séance eut lieu le 21 mai dernier.

Je fis une séance quotidienne pendant dix jours consécutifs, à raison de trois injections par jour, espacées à un quart d'heure d'intervalle pendant les huit autres jours. Chaque injection était d'un centimètre cube de liquide testiculaire étendu de huit fois son poids d'eau. L'animal choisi était le cobaye âgé de trois mois environ (1). Le liquide était frais et filtré au filtre Pasteur. Les précautions d'antisepsie et d'asepsie, avaient été prises avec tout le soin possible.

Les quatre premières injections produisirent une grande agitation pendant la nuit, et il y eut même des frissons assez violents. Mais, malgré le manque absolu de sommeil, le malade était moins abattu pendant le jour depuis la deuxième séance; sa voix était moins faible, il pouvait faire quelques mouvements dans son lit.

Ce qui me frappa surtout, ce fut le relèvement du moral qui devenait chaque jour moins affecté, et le sourire de M. Masseron à chacune de mes visites était pour moi un reflet de l'espoir qui renaissait en lui. Le sixième jour le mieux s'accentua. Le cœur était plus fort, les urines plus abondantes, les sphincters avaient repris de la tonicité. Le neuvième jour, l'incontinence d'urine avait presque entièrement cessé, les matières fécales pouvaient être retenues et les lavements pouvaient être gardés. Le malade se tenait assis sur son

(1) M. Hénoque a constaté d'une manière positive que les cobayes mâles commencent à coïter efficacement dès l'âge de deux mois, et M. Brown-Sequard enseigne que le suc testiculaire de cobayes de deux à quatre mois a plus de puissance que celui d'animaux plus âgés.

3.

lit sans le secours de personne, le ventre était désenflé, les membres inférieurs moins durs et moins gros, l'œdème s'en allait, la respiration était plus libre, l'expectoration plus facile, la fièvre avait disparu, l'appétit revenait, M. Masseron se sentait renaître. Le dixième jour, il descend de son lit presque seul et reste levé pendant une heure ; le onzième jour, il fait quelques pas dans la chambre sans fatigue, et le lendemain, à mon grand étonnement je le trouve descendu à l'étage inférieur, dans son atelier. J'avais suspendu le traitement depuis deux jours pour laisser reposer les cuisses et les bras qui étaient douloureux par le grand nombre de piqûres. Je repris le 10 juin, après dix jours de repos et fis sept séances consécutives jusqu'au 17 juin. Le mieux avait continué en progressant jusqu'au 8 juin, mais restait stationnaire depuis deux jours, à la suite d'une légère indigestion ; c'est ce qui motiva la reprise du traitement. Dès le 12, l'amélioration progressa rapidement. La gaieté était tout à fait revenue le 17 ; la parole était libre et forte, la faculté de travail presque complète. M. Masseron travaillait plusieurs heures par jour à son album annuel avec une ardeur qu'il ne connaissait plus depuis deux ans.

Le 17, le malade étant très bien, je suspends à nouveau le traitement. Le mieux continue. M. Masseron ne tousse plus, dort toute la nuit, mange avec grand appétit et digère fort bien. Il marche sans canne, surveille son atelier et commence à sortir au milieu du jour pour une petite promenade à pied.

Le 27 juin, il va de Saint-Laurent à la rue de Rivoli, en suivant les boulevards.

Le 1er juillet, je reprends le traitement suspendu depuis le 17 juin et je fais encore cinq séances jusqu'au 20. M. Masseron allait aussi bien que possible. Le cœur avait complètement repris ses fonctions ; l'œdème avait disparu depuis plus de quinze jours, ne reparaissant pas même le soir; la respiration ne laissait rien à désirer, la toux avait cessé; les nuits étaient bonnes, l'appétit excellent, les organes de la génération semblaient vouloir se réveiller, l'esprit était libre, vif et gai. Les jambes seules, quoique beaucoup plus vigoureuses qu'elles n'étaient depuis plus de dix-huit mois, sont encore faibles.

M. Masseron partit à la campagne, à Pierrefitte, le 25 juillet. Il a cessé tout traitement depuis le 20 du même mois, et la guérison, loin de se démentir, n'a fait que s'accentuer depuis trois mois.

M. Masseron a eu vingt-deux séances et cent seize injections d'un centimètre cube de liquide testiculaire provenant de jeunes cobayes. Je n'ai eu à noter aucune complication inflammatoire du fait des injections.

Si l'on considère:

1° L'état déplorable dans lequel se trouvait le malade lorsque je commençai l'application de la méthode;

2° La cessation absolue de toute autre médication.

Il faut bien admettre que c'est seulement aux injections de liquide testiculaire que peut être attribué le relèvement rapide des forces du malade et de son retour à la santé.

On peut conclure aussi que les injections faites avec toutes les précautions qu'elles exigent, ne présentent pas le moindre danger. J'en ai pratiqué jusqu'à ce jour plus de cinq mille sans avoir jamais constaté le moindre accident.

Depuis cette époque, c'est-à-dire après seize séances de quatre injections chacune, l'état de M. Masseron s'est maintenu, et dès que l'incontinence d'urine se manifeste, ce qui s'est produit à des intervalles éloignés,

une ou deux injections suffisent à la faire complètement disparaître.

Ma première cure par l'application du vaccin séquardien ne pouvait que m'encourager dans ma résolution
de me consacrer exclusivement à l'exercice de la méthode nouvelle.

N'avais-je pas obtenu un succès inespéré et convain-
quant ?

Lorsque j'avais, au retour d'un voyage en Algérie,
soigné de nouveau mon client, il venait d'être gravement atteint par l'influenza et pendant mon absence,
tous ceux qui le connaissent et en particulier le médecin qui m'avait remplacé l'avaient considéré comme
perdu.

Les remèdes que je lui avais appliqués n'étaient certainement pas restés sans effet; mais l'amélioration
obtenue était si faible, souvent arrêtée complètement
par des rechutes fréquentes, que je commençais à
désespérer de sa guérison, lorsqu'il me demanda de lui
injecter le vaccin sequardien.

C'est donc bien à ce vaccin seul qu'est dû l'heureux
résultat, c'est à dire la guérison complète de M. Masseron, qui ne pouvait me prouver mieux sa reconnaissance qu'en m'autorisant à publier son nom dans cet
ouvrage, afin que personne ne puisse contester la
scrupuleuse véracité des faits que je viens d'exposer.

Dès lors, je ne pouvais douter qu'une force nouvelle
était découverte, puisqu'aussitôt que j'avais expérimenté la méthode Brown-Séquard sur M. Masseron,
j'avais abandonné toute autre médication et interrompu
le traitement antérieurement prescrit par mon confrère et par moi.

En outre, à cette époque, le professeur Brown-Séquard n'avait appliqué sa méthode qu'à des vieillards
dont la sénilité était le résultat de l'âge. Moi, je l'avais

expérimentée sur un vieillard affaibli par la maladie, le cas était d'autant plus remarquable.

On verra par les observations que contient ce livre combien l'étendue des applications de la méthode est grande.

Si nous avons publié d'abord celle faite par moi, sur M. Masseron, c'est qu'elle fut la première preuve expérimentale que j'acquis de la puissance sur l'homme, même malade, des injections du suc des testicules des animaux vivants ou venant de mourir.

CHAPITRE III

Du rôle prépondérant que jouent les testicules dans l'organisme. — Infirmes. — Affaiblis. — Eunuques. — Déductions tirées par Brown-Séquard des expériences qu'il fit sur lui-même du suc testiculaire et de sa puissance stimulante chez les animaux et chez l'homme. — Le chien fatigué. — La jument en avant. — Samson et Dalila. — L'assassin de Beauvais.

I. — L'histoire physiologique et clinique des testicules est pleine de faits intéressants que tout le monde connait, et qui ne laissent aucun doute sur le rôle important de ces organes.

Qui ne sait qu'à l'égard de leur intelligence, de leur moralité et de leurs puissances physiques les individus qui, dans l'enfance, ont perdu leurs testicules par maladie ou autrement, ou chez lesquels ces organes sont restés dans l'abdomen (auquel cas ils ne possèdent pas leurs fonctions), sont bien inférieurs aux autres hommes.

Ce sont des êtres dégradés.

Il ne peut être douteux pour personne que c'est là une preuve que les testicules contribuent largement au développement et au maintien des plus nobles et des plus utiles attributs de l'homme.

Ne dit-on pas d'un homme actif, intelligent, franc, honnête, courageux et fort : c'est un véritable mâle? D'un autre côté, il est bien connu que, chez les hommes non malades, la variété dans le degré des puissances cérébrales et médullaires (c'est-à-dire de la moelle) est liée avec une variété très grande aussi à la puissance testiculaire : plus l'activité spermatique est grande, plus la puissance des curtus nerveux le sont aussi.

Tout le monde sait que chez les individus ayant des testicules malades, chez ceux qui abusent du coït ou qui sont adonnés à la masturbation et surtout chez ceux qui souffrent de pertes séminales, il y a une grande diminution de forces physiques et morales.

Le livre si instructif de Lallemand sur les pertes séminales involontaires est rempli de faits décisifs à cet égard.

L'étude des faits montre que dans ces cas, en outre des effets fâcheux qui peuvent provenir des irritations des organes génitaux, il y a des diminutions de force semblables à celles qu'on observe chez les eunuques, diminutions qui dépendent incontestablement de ce que le sang, à cause des émissions spermatiques fréquentes, ne contient pas en quantité suffisante les principes que les testicules lui fournissent par résorption.

Des faits d'un tout autre genre conduisent aussi à la conclusion que par résorption certaines substances contenues dans le sperme agissent en augmentant les puissances des centres nerveux.

Les hommes bien organisés, de l'âge de vingt à trente-cinq ans, qui, pour un motif ou un autre, restent absolument sans communications sexuelles ou sans dépense de semence, due à une autre cause quelconque, à part celle qui a lieu quelquefois dans un rêve érotique, sont dans un état d'excitation s'accompagnant d'une activité mentale et physique, morbide peut-être, mais très grande.

Cet état de pléthore spermatique démontre aussi bien la puissance dynamogénique des principes séminaux résorbés que les faits d'anémie spermatique.

J'ai reçu dans ces derniers mois les confidences de bien des gens, âgés de quarante-cinq à cinquante-cinq ans, qui m'ont affirmé que depuis que leur puissance sexuelle s'est un peu diminuée, ils ont constaté que leur puissance physique et intellectuelle s'affaiblissait après chaque coït et grandissait en-

4

suite graduellement jusqu'au coït subséquent qui avait lieu de deux à quinze jours après le premier sans les fatiguer beaucoup ; le coït, comme je l'ai dit, diminuait leur activité, mais au fur et à mesure que la provision de sperme se renouvelait ensuite, cette activité s'augmentait et très notablement chez quelques-uns.

II. — Ces faits et d'autres encore m'ont conduit depuis bien longtemps à l'idée que la faiblesse des vieillards dépend en partie de la diminution graduelle de l'activité des testicules.

Dans un cours fait à la Faculté de Médecine de Paris en 1869, j'avais dit que, s'il était possible d'injecter sans danger du sperme d'un vigoureux animal dans les veines d'un vieillard, on obtiendrait probablement une amélioration notable des puissances affaiblies de cet individu.

Des idées de même ordre m'ont conduit à faire, en 1875, de très nombreuses expériences, dont quelques-unes ont donné des résultats fort intéressants, mais dont une seule, cependant, a bien montré l'influence considérable que des testicules d'un jeune animal peut avoir sur un vieux chien.

Depuis quelques années, j'ai eu l'idée de faire sous la peau d'animaux mâles, âgés et faibles, des

injections d'un liquide extrait des testicules de
mammifères vigoureux et jeunes.

Des essais faits il y a neuf mois, sur de vieux
lapins, ayant bien démontré, d'une part, l'innocuité du procédé, et, d'autre part, l'importance de
son emploi, je me suis décidé à faire sur moi-même
des recherches qui me paraissent devoir être, à
tous les égards, bien plus décisives que celles
faites sur des animaux.

Ainsi s'exprimait le docteur Brown-Séquard dans
l'exposé où figure sa première communication à la
Société de Biologie, sur les effets produits chez
l'homme par des injections sous-cutanées d'un suc
retiré des testicules d'animaux vivants ou venant
de mourir.

Et après avoir constaté les résultats heureux
qu'il avait obtenus sur lui-même, il ajoutait :

Il est évident d'après ces faits, et d'autres dont
je n'ai pas parlé, que toutes les fonctions dépendant de la puissance d'action des centres nerveux
et surtout de la moelle épinière, se sont notablement et rapidement améliorés par les injections
employées.

La dernière de ces injections a été faite le 4 juin,
il y a aujourd'hui plus de trois mois et demi.

Pendant plus de quatre semaines, il n'y a eu

...uz moi aucun changement, toutes les améliorations ont persisté.

Mais graduellement et rapidement, depuis le
3 juillet, j'ai constaté un retour, maintenant
presque complet, de l'état de faiblesse qui existait
avant la première injection.

Cette perte de force graduelle est une excellente contre-épreuve en ce qui concerne la démonstration de l'heureuse influence exercée sur moi,
par des injections sous-cutanées d'un liquide retiré
des testicules.

Et il concluait en disant :

Dans un nombre considérable de cas, des injections semblables aux miennes ont été faites sans
que les individus mis en expérience sussent qu'on
cherchait s'ils gagnaient en force, et ce résultat
a été obtenu.

Ceux que j'ai signalés ne dépendaient donc pas
de mon idiosyncrasie personnelle, ni d'un auto-
suggestion sans hypnotisation, et il est bien évident que ce n'est pas par suite d'une illusion que
les puissances des centres nerveux s'augmentent,
et que c'est bien à une action spéciale du liquide
injecté que cet effet est dû (1).

Le suc testiculaire est donc une force dont les

(1) Communication du professeur Brown-Séquard à la Société
de Biologie.

animaux comme les hommes fournissent d'irréfutables preuves.

Un chien rentre de la chasse avec son maître, la journée a été rude et le chien est exténué.

N'en pouvant plus, il refuse toute nourriture et se couche; on l'appelle, il ne bouge pas; à peine daigne-t-il entr'ouvrir les yeux et soulever sa queue, pour donner signe de vie; la nécessité du repos le domine. Mais, qu'à ce moment même une chienne en rut, entre, aussitôt notre chien se lève et vient la flairer; l'ardeur le gagne, il oublie sa fatigue, et si la chienne fuit, il la suit, gai, alerte, pendant plusieurs jours, sans effort, sans boire ni manger, soutenu par une force qui domine tous ses besoins et combat victorieusement sa lassitude.

Quelle est cette force qui se manifeste au moment précis ou les organes génitaux sont dans un état d'éréthisme particulier, en présence de la femelle?

Cette force n'est autre que le suc secreté par le testicule qui en opère la diffusion dans l'organisme tout entier. Il est tellement vrai que cette force réside dans le suc testiculaire, qu'aussitôt l'acte du coït accompli, la production du suc s'arrêtant, la fatigue reparaît et le chien tout à l'heure si vigoureux, ne demande que le repos.

4.

Le suc testiculaire qui renferme ce principe de force ne se produit qu'en présence de la femelle ou sous l'influence d'une excitation morbide de l'imagination.

La force une fois produite et répandue dans l'économie, l'abstinence peut l'y maintenir pendant un temps plus ou moins long, tandis que le coït l'épuise immédiatement. Mais malgré l'abstinence la force acquise disparaîtra au bout de quelques semaines et une excitation nouvelle des testicules deviendra nécessaire à sa reconstitution.

Un autre fait tout aussi concluant que le précédent et que tout le monde connaît, est le suivant :

Un cheval entier attelé à une lourde charrette, est arrivé au bas d'une côte qu'il ne peut gravir sans le secours d'un cheval de renfort.

Au lieu d'atteler un deuxième cheval dont l'effort viendra s'ajouter à celui du premier, contentez-vous de placer à quelques pas en avant du premier cheval une jument que vous n'attelerez même pas et que vous ferez simplement marcher.

Surexcité par le voisinage de la jument, le cheval sent ses organes génitaux se gonfler, se tendre par l'effet de la production du suc testiculaire qui se répand bientôt dans tout l'organisme ; il hennit joyeusement et monte la côte sans s'apercevoir qu'il traîne un fardeau naguère trop lourd pour ses forces.

Est-il besoin de dire quelles fatigues est capable de supporter un homme amoureux, en présence d'une femme qu'il désire?

La légendaire coupe de cheveux de Samson par la séduisante Dalila, n'est évidemment qu'une figure, et le renouveau qui permet à l'hercule d'abord épuisé de faire crouler le temple des Philistins la complète.

Cette force développée par le suc testiculaire chez le mâle, dont le cerveau est mal organisé, est si vivace, si puissante, si irrésistible, qu'elle peut le mener jusqu'au meurtre.

L'exemple suivant le prouve :

Il y a quelques années un homme fut guillotiné à Beauvais, pour avoir commis le crime passionnel le plus abominable qu'on puisse rêver.

Très excité par le contact des jeunes filles avec lesquelles il avait longuement dansé dans un village voisin, tourmenté par des désirs brûlants, cet homme regagnait sa demeure la nuit.

Non loin d'une mare, il aperçut une vieille femme qui lentement suivait la même route que lui.

La rejoindre, l'étrangler pour vaincre sa résistance et la violer, fut pour le paysan l'affaire d'un instant ; puis, afin de cacher le cadavre, il le porta jusqu'à la mare et l'y jeta.

Chez ce misérable dont le cerveau était mal équilibré, la force développée par la production du suc testiculaire s'était transformée en folie érotique poussée jusqu'au crime.

On n'avait jamais eu rien à lui reprocher jusque là.

Combien d'autres cas pourrais-je citer encore pour prouver la théorie.

Par les faits précédents, je crois avoir clairement démontré que le testicule produit dans certaines conditions déterminées, un suc particulier qui fournit à l'homme comme aux animaux un élément de force d'une puissance considérable.

CHAPITRE IV

Des effets physiologiques et thérapeutiques d'un liquide extrait de testicules d'animaux, d'après nombre de faits où ce liquide a été injecté sous la peau, chez l'homme (1).

Depuis la publication des expériences que j'ai faites sur moi-même et qui sont rapportées dans la première partie de ce travail, la presse politique des deux mondes en a parlé sans les connaître et a malheureusement fait naître, chez des milliers d'individus affaiblis par l'âge, par des abus de puissance sexuelle ou par des maladies, des espérances absurdes qui ont dû être promptement déçues. Aux États-Unis surtout, et souvent sans connaître ce que j'avais fait, ni les règles les plus élémentaires à l'égard d'injections sous-cutanées de matières animales, plusieurs médecins ou plutôt des médicastres et des char-

(1) Brown-Séquard. Brochure, 1890.

latans ont exploité les désirs ardents d'un nombre très considérable d'individus et leur ont fait courir les plus grands risques, s'ils n'ont pas fait pis.

Je voudrais pouvoir dire quels ont été les résultats des milliers d'essais d'injections de suc testiculaire qui ont été faits en Amérique et ailleurs. Malheureusement, les principaux éléments d'une appréciation sérieuse me manquent presque complètement, surtout parce que je ne connais les faits de la plupart des médecins des États-Unis que par des articles de reporters dans les journaux politiques. J'indiquerai tout à l'heure les travaux publiés par un certain nombre de médecins ; mais il importe pour pouvoir les comparer à ceux d'autres observateurs que je fasse connaître ce qui ressort des expériences que j'ai faites sur moi-même et qui sont rapportées dans la première partie de ce travail.

L'idée qui m'a conduit dans ces expériences a été que la faiblesse des vieillards dépend, en partie, de la diminution d'activité des glandes spermatiques. J'ai cru et je crois encore que les faits que j'ai rapportés donnent la preuve que la vigueur des centres nerveux et d'autres parties de l'organisme est liée avec la vitesse sécrétoire des testicules. Cela étant admis, il était tout

naturel qu'en donnant au sang d'un vieillard, par
injections sous-cutanées, un liquide extrait de
testicules d'animaux jeunes et vigoureux, on arriverait à suppléer à l'insuffisance de sécrétion
spermatique existant chez lui. Il y avait aussi lieu
de croire que, en outre de cette influence spéciale, le liquide injecté augmenterait aussi l'activité de sécrétion des testicules.

Il semble, d'après des faits rapportés par des
médecins sérieux, que cet effet spécial a été
obtenu chez des vieillards aussi bien que chez des
hommes encore jeunes et épuisés par des excès
vénériens.

Quelques personnes ont pensé que toute l'action de certains éléments du liquide injecté consis-
tait en une stimulation des centres nerveux ou
d'autres parties. En vérité, il faudrait oublier
complètement les plus simples notions sur l'action des agents physiques, des médicaments et
des poisons sur l'organisme animal pour accepter
une opinion semblable. En effet, nous savons que
deux espèces d'effets peuvent être produits par
ces agents ou substances : l'un consistant en une
stimulation suivie d'une mise en jeu de la partie
irritée, l'autre consistant en une augmentation ou
en une diminution de puissance d'action. Dans
tous les changements que j'ai signalés comme

ayant eu lieu chez moi, il n'y a eu de mise en
jeu d'aucune puissance, et, de plus, ces changements ont duré des semaines entières (et il y en a
un qui dure encore aujourd'hui, plus de six mois
et demi après la dernière injection : c'est l'amélioration de la défécation), ce qui suffit pour
démontrer absolument que la stimulation n'est
pas la cause de ces changements. Il est clair que
ce qui a eu lieu est une augmentation de puissance d'action. Ce qui reste à décider, c'est de
savoir si c'est une véritable dynamogénie, c'est-
à-dire un pur changement dynamique qui a eu lieu.

Quelques-uns des effets sont si prompts à se
montrer qu'il semble très probable que, pour eux
au moins, c'est là ce qui se produit; mais d'autres effets sont assez lents, et il paraît certain
que c'est à la suite d'un travail nutritif amélioré,
c'est-à-dire d'un changement organique, que la
force s'augmente dans certaines parties. Le
liquide extrait des glandes sexuelles mâles agi-
rait donc probablement en produisant dans quelques parties une pure dynamogénie, et dans
d'autres en activant la nutrition. On montre une
grande ignorance en soutenant que chez les vieillards un retour vers un état organique meilleur et
ressemblant à celui d'un âge antérieur est impossible, puisque des changements organiques dus à

une amélioration de la nutrition sont possibles à
tous les âges (1).

Je ne veux pas aujourd'hui discuter la question de savoir quelles sont les substances contenues dans le liquide injecté auxquelles sont dus
les effets des injections. Des expériences extrêmement nombreuses devront être faites pour
obtenir la solution de cette question. Tout ce que
je puis dire, c'est que les animalcules spermatiques, dont le rôle physiologique tout spécial est
bien connu, sont loin de participer d'une manière

(1) En critiquant mes idées, on a dit que les faits bien
connus de dégénération et de dénutrition séniles opposc-
raient des obstacles insurmontables à toute amélioration
réelle de fonction dans les centres nerveux et dans les
appareils moteurs et sensitifs. L'étude de l'excellent
ouvrage de Charcot sur la vieillesse (*Leçons sur les maladies des vieillards.* Paris, 1868), et de nombre d'autres
ouvrages montre que rien ne caractérise d'une manière
absolue ou constamment la sénilité. Les vaisseaux sanguins
s'altèrent (athérome, anévrisme, etc.); mais si c'était la
vieillesse qui produisait ces altérations, elles se montre-
raient avec beaucoup moins de variétés et, sinon au même
âge, au moins simultanément avec d'autres changements
séniles. Or, il n'en est pas ainsi : les altérations vascu-
culaires varient d'espèce, qu'elles se montrent soit seules,
soit associées, tantôt avec une espèce d'altération, tantôt
avec d'autres espèces. Qu'un âge avancé soit favorable au
développement de ces changements organiques, ce n'est
pas douteux; mais qu'ils soient des phénomènes apparais-
sant fatalement comme ceux que nous savons dépendre
des âges, cela n'est évidemment pas exact. Il est clair, au
contraire, que ces altérations sont des manifestations de

essentielle à l'influence dynamogénique du liquide employé dans mes expériences, puisque ces particules solides ne passent pas à travers le filtre Pasteur, ce dont M. Hénocque s'est positivement assuré.

J'ai étudié avec le plus grand soin un cas extrêmement remarquable montrant que les animalcules spermatiques peuvent manquer, malgré l'existence de la partie du liquide sécrété par les testicules qui donne à l'homme les diverses activités physiques, morales et intellectuelles qui font défaut chez les eunuques (1). En effet, chez

maladies organiques de certains tissus, qui appartiennent surtout à un âge avancé.

Si les dégénérations, si les altérations séniles sont des maladies, un jour viendra où l'on pourra les combattre. Je n'ai jusqu'à présent aucun fait à mentionner qui montre que les injections de liquide testiculaire pourraient produire un changement organique favorable soit pour empêcher, soit pour retarder, et surtout pour faire disparaître ces changements morbides. Mais ce n'est pas là ce que j'ai essayé d'établir. Du reste la question n'est certainement pas de savoir si ces injections rajeunissent (ce que je crois impossible, si l'on donne à ce mot son sens vulgaire), la question est de savoir si l'on peut acquérir les forces d'un âge moins avancé, et ceci me paraît certain.

(1) Je ne nie pas et, tout au contraire, je conçois comme très possible que ce soit la partie liquide du sperme qui doit se transformer en cellules formatrices des spermatozoïdes, qui, après résorption et ayant perdu dans le sang la puissance de donner lieu à cette formation, agit sur les centres nerveux comme cause dynamogéniante.

un officier remarquable par sa force et ses autres qualités morales et physiques, ainsi que par sa puissance sexuelle et la quantité de sperme qu'il produit, les spermatozoïdes manquent dans cette sécrétion. Le professeur Cornil s'en est assuré depuis longtemps déjà, et M. Hénocque et moi dans ces derniers temps.

Du reste, il était évident *a priori* que les sper-matozoïdes ne participent pas à l'action dynamo-génique de mes injections, puisque nous savons qu'ils ne peuvent pas être absorbés, et que c'est la partie liquide du sperme qui, étant résorbée, est l'agent vivificateur des individus jeunes ou adultes, qui ont des testicules actifs.

Tout ce que j'avais voulu obtenir par les publi-cations que j'ai faites jusqu'ici, était que des médecins ou des physiologistes âgés fissent sur eux-mêmes des expériences semblables aux miennes. Autant que je le sache, deux seulement, à Paris, ont fait quelques expériences, dont le résultat général a été favorable. J'en parlerai tout à l'heure. Malheureusement, les effets produits n'ont pas été rigoureusement étudiés. Dans les meilleures observations publiées jusqu'ici (celles du docteur Variot, de Paris; du docteur Ville-neuve, de Marseille, et du docteur Loomis, de New-York), les individus soumis aux injections ne l'ont été que pendant un temps insuffisamment prolongé. Dans les cas où certains bons effets ont été produits, on s'est contenté de s'en assurer et, après une ou deux semaines, les opérés ont été laissés de côté.

Les influences exercées par le liquide extrait des testicules auraient dû être étudiées de deux façons distinctes, l'une consistant purement et simplement dans les examens des effets physiologiques qu'il produit, et l'autre dans la recherche des effets thérapeutiques. Personne n'a encore, à ma connaissance, fait séparément ou parallèlement l'étude de ces deux espèces de manifestations. On aurait dû rechercher surtout, sur des vieillards en bonne santé, quels sont les effets produits; cela n'a malheureusement pas été fait. On s'est occupé de guérir des malades, et l'on a obtenu les échecs que l'on méritait d'avoir et des succès qui, à part quelques cas très remarquables, ne sont peut-être pas suffisamment établis.

Le docteur Variot a le mérite d'avoir été le premier à étudier sur plusieurs vieillards l'action du suc retiré des testicules, dans le but de s'assurer si ce que j'ai trouvé sur moi-même se montrerait sur d'autres personnes. Je ne puis ici que mentionner très brièvement ce qu'il a constaté :

OBSERVATION I

. Homme, cinquante-quatre ans, atteint d'anémie et de diarrhée persistante. On fait deux injections de liquide testiculaire. Le soir, sensation de bien-être inaccoutumé, qui dure le lendemain. Il a, dit-il, la tête plus libre, les membres plus souples, et plus de force. L'œil est beaucoup plus vif; il peut marcher sans fatigue, etc. La puissance sexuelle disparue revient.

OBSERVATION II

Homme, cinquante-six ans, ne pouvant guère rester debout ni marcher pendant quelques instants sans être obligé de s'asseoir. Après les injections, il gagne en force considérablement, devient gai, plein d'entrain, etc., appétit très augmenté.

OBSERVATION III

Homme, soixante-huit ans, quitte peu son lit. Le lendemain des deux premières injections, il se promène avec plaisir, se sent plus fort. Appétit extrêmement augmenté. Erection matinale intense; il n'en avait plus eu depuis deux mois. Défécation devenue possible sans lavement.

Depuis que M. Variot a publié ces trois cas (*Comptes rendus* de la Société de Biologie, 5 juillet 1889, p. 451), il a employé les injections de suc extrait des testicules de lapin ou de cobaye sur nombre d'autres malades. Il ne m'est pas possible de donner une analyse de tous ces cas, dont quelques-uns ont été négatifs. Je n'en mentionnerai que quatre ou cinq.

Un des cas ayant le plus d'importance parmi ceux du docteur Variot, est celui d'un médecin de soixante ans qui, après un traitement à Vichy, était excessivement faible et se sentait épuisé. Il a, d'après son dire, gagné considérablement en activité cérébrale et en force à l'égard de la puissance musculaire et du pouvoir sexuel. Il n'a eu que quatre injections, faites deux par jour : c'était en août dernier. Il m'écrit, a la date du 6 octobre, que les bons effets ont continué, bien qu'il n'ait pas fait de nouvelles injections.

Dans un autre cas, il s'agit d'un médecin de Paris, de trente-cinq ans, atteint d'impuissance sexuelle et de faiblesse très notable. Après six injections (deux par jour), augmentation de force (50 au lieu de 40 au dynamomètre) et possibilité de relations sexuelles.

Chez un vieillard de quatre-vingt-un ans et demi, sans infirmité marquée, il n'y a pas eu d'effet notable des injections jusqu'après quelques semaines, où il a écrit au Dr Variot que « les injections ont complètement réussi chez lui, et surtout les deux dernières. Je sens, dit-il, une grande augmentation de force sous tous les rapports, et comme si j'avais vingt ou vingt-cinq ans de moins. »

Dans une expérience de contrôle, le docteur Variot a fait deux injections avec de l'eau teintée de sang, et a constaté que le patient, âgé de cinquante-huit ans, atteint de diarrhée et de bronchite, n'a éprouvé aucun bon effet. Sans qu'il fût prévenu d'un changement de liquide, la liqueur retirée d'un testicule d'animal fut injectée, et, dès le lendemain, cet homme a affirmé qu'il était beaucoup mieux, qu'il avait le cerveau plus libre, et qu'il éprouvait un bien-être inaccoutumé. Les érections ont reparu, quinze jours après l'injection dernière. Il dit avoir été remis sur pied par cette injection, dont les bons effets ont persisté plus d'un mois et demi.

Un travail très intéressant a été publié par un des plus distingués médecins de New-York, le docteur H. P. Loomis (*The Medical Record*, aug. 24, 1889, p. 206), rapportant des faits d'injection du liquide retiré de testicules de mouton. Malheureusement, ces injections, comme celles pratiquées par d'autres médecins qui ont répété mes expériences, ont été faites presque exclusivement sur des malades. Les cas favorables ont été ceux de vieillards âgés de cinquante-six ans, de soixante-deux ans et de soixante-dix-sept ans (c'est le plus remarquable de tous). Sept autres malades n'ont

pas eu de bons effets ou ont vu leur maladie
s'aggraver (ceci a eu lieu dans un cas de rhumatisme et un cas d'ataxie locomotrice) (1).

Je ne dirai qu'un mot d'un mémoire d'un médecin
bien connu, le docteur W. A. Hammond (*The N.-Y.
Medical Journal*, aug. 31, 1889, p. 232). Ce travail
contient neuf observations qui toutes, à part une,
où l'injection avait été faite sur une femme, montrent des effets extrêmement favorables, non
seulement contre la faiblesse, mais contre diverses maladies et surtout certaines affections du
cœur.

Un autre médecin américain, le Dr Brainerd,
de Cleveland (Ohio), jusqu'au 15 août dernier,
avait employé les injections sur vingt-cinq personnes, dont cinq femmes. La plupart de ces individus étaient des malades, et des effets extrêmement favorables ont été obtenus chez presque tous.
Le liquide employé était retiré de testicules de
mouton, comme dans les cas des docteurs Loomis
et Hammond.

J'ai reçu du Dr Dehoux, de Paris, et du Dr Gre-

_____

(1) Je connais cinq cas d'ataxie locomotrice, en outre de
celui du Dr Loomis, où les injections du suc testiculaire
ont été employées. Le mal ne s'est aggravé chez aucun,
mais deux malades n'ont pas eu de changement de leur
état; deux ont eu une amélioration légère, mais le cinquième a obtenu une amélioration des plus considérables.

goreseux, de Bucharest, deux faits particulièrement favorables.

Je n'ai plus à parler que des recherches du
Dr Villeneuve, qui ont paru dans le *Marseille
médical* (30 août 1889, p. 458), et qui sont très
intéressantes à plusieurs égards. Il s'est servi de
testicules de chien, de cobaye ou de lapin. Chez
des malades atteints d'affections plus ou moins
graves, il n'y a eu aucun effet favorable après
deux injections. Au contraire, chez d'autres et
même chez un blessé âgé de quatre-vingt-dix ans,
il y en a eu de très nets, surtout chez un homme
de cinquante ans, dont le cas a été très bien
étudié, et qui a obtenu une augmentation très
considérable à tous égards, et en particulier en ce
qui concerne son activité cérébrale (p. 465) (1).

Les faits que j'ai signalés et nombre d'autres
encore ne permettent plus de supposer que ce que
j'ai observé sur moi ait dépendu, en partie ou entièrement, d'une idiosyncrasie spéciale ou d'une
auto-suggestion.

Malgré l'insuffisance de détails dans toutes les
observations publiées jusqu'ici, malgré le nombre
de critiques que l'on a incontestablement le droit

(1) M. Villeneuve a employé un liquide extrait d'ovaires
de cobayes sur une femme privée de ses ovaires et il en a
obtenu des effets extrêmement remarquables (p. 466).

d'adresser à la plupart d'entre elles, il en ressort
néanmoins, et d'une manière évidente, que le suc
testiculaire employé a produit sur les centres
nerveux tous les effets dynamogéniques que j'ai
observés sur moi-même, et d'autres encore, quelques-uns dans certains cas, le reste dans d'autres
cas. Mais la recherche des effets produits a été si
incomplète, dans la plupart des cas, que rien n'a
été observé, tantôt à l'égard de certains d'entre
eux, tantôt à l'égard de certains autres. Rien ne
montre qu'ils n'existaient pas, mais, je le répète,
chacun des faits signalés par moi a été observé
un très grand nombre de fois. D'autres phénomènes de dynamogénie ont été aussi trouvés chez
des malades, et surtout dans des cas de faiblesse
de l'action du cœur.

Il n'est donc pas douteux que les injections sous-
cutanées du suc dilué, extrait de testicules d'animaux vivants ou venant de mourir, possèdent sur
les centres nerveux une puissance dynamogénique
considérable, au moins chez un grand nombre
d'individus. Il n'est pas douteux aussi que ces injections soient sans danger lorsqu'elles sont faites
avec toutes les précautions que les médecins ins-
truits savent être essentielles lorsqu'on introduit
sous la peau des matières animales (1).

(1) Jusqu'ici les médecins américains ont employé pres-

que uniquement les testicules de mouton. En Europe, on a
fait usage du chien, du cobaye ou du lapin. J'ai recommandé les testicules d'un veau âgé pour les cas où, au
lieu d'agir sur l'homme, on voudrait donner de la vigueur
à des chevaux où à d'autres grands animaux. Autant que
je le sache, l'espèce d'animal n'a pas une très grande importance. Ce qui est essentiel, c'est que l'animal soit jeune,
vigoureux et sain, que les testicules employés proviennent
d'un individu encore vivant au moment d'être tué, et enfin
qu'on fasse l'injection une ou deux heures, ou à peine
plus, après la mort de l'animal ou après l'extirpation du
testicule sur un individu encore vivant. J'ai donné les
règles suivantes : le testicule employé doit être pesé; on
l'écrase ensuite avec deux ou trois fois son poids d'eau;
puis, avant de le jeter sur le filtre avec le liquide obtenu,
on y ajoute huit fois son poids d'eau. Après filtration, on
fait l'injection du dixième de la quantité recueillie à une
jambe ou à un bras, et une ou deux autres injections semblables ailleurs. Ces injections doivent être répétées tous les
deux jours pendant deux ou trois semaines. Il faudra ensuite y revenir tous les deux, trois ou quatre mois. S'il se
produit un érythème très douloureux, il faut diluer davantage la liqueur employée.

CHAPITRE V

*Composition du suc testiculaire. — De ses éléments
et de leur efficacité respective.*

Le vaccin sequardien se compos du trois éléments principaux, qui sont : le sang, le sperme
et le suc spécial qui se produit dans l'appareil
génital du mâle sous l'influence de l'excitation
résultant de la présence de la femelle.

Quel est celui de ces trois éléments qui constitue le principe actif du vaccin ? Pour répondre
à cette question, j'ai fait les expériences suivantes : Prenant quatre vieux chiens que nous
désignerons par les numéros 1, 2, 3, 4, j'ai
injecté :

Au n° 1, du sperme ;

Au n° 2, du sang ;

Au n° 3, du suc proprement dit ;

Et enfin, au n° 4, du vaccin complet.

Sur les numéros 1 et 2, je n'ai obtenu qu'un

6

résultat des plus médiocres, presque entièrement négatif, tandis que sur les numéros 3 et 4,
le suc testiculaire proprement dit et le vaccin
sequardien complet ont produit des effets identiques et d'une grande puissance.

Cette expérience suffit pour donner la solution
exacte de ce problème important. Et aujourd'hui
il n'est pas douteux que le principe actif du vaccin
est le suc testiculaire proprement dit.

Le sang et le sperme pris dans les régions
voisines du testicule ou dans le testicule lui-
même ne doivent les faibles effets qu'ils produisent qu'à la présence d'une petite quantité de
suc testiculaire proprement dit qu'il a été impossible d'éliminer complètement.

Un nouvel élément de force a donc été décou-
vert et cet élément est bien le suc testiculaire
proprement dit. C'est à lui que le vaccin sequardien, dont il est un des éléments constituants,
doit sa puissance.

CHAPITRE VI

Des inconvénients graves qu'offrait la méthode à son
origine. — Injections douloureuses. — Accidents et
cas nombreux de septicémie. — Indispensabilité d'y
remédier. — Comment j'y suis arrivé. — Le vaccin
rendu inoffensif. — Impureté fâcheuse. — Filtrage.
— Appareils Pasteur et d'Arsonval. — Le mâchefer
et les courants électriques. — Pureté et limpidité. —
Conservation du vaccin. — Possibilité de son trans-
port et de sa conservation. — Les ampoules de verre.
— Manière de les remplir et de les vider.

Dans la communication faite par le Dʳ Brown-
Séquard à la Société de Biologie, le savant médecin constate les troubles généraux et les douleurs que lui faisaient éprouver les injections.

Si ces inconvénients, malgré leur importance,
n'étaient pas de nature à arrêter Brown-Séquard
dans ses expériences, ils n'en constituaient pas
moins un obstacle difficile à vaincre sinon invincible dans l'application de la découverte aux
personnes affaiblies ou malades pour lesquelles

la souffrance est un grand sujet d'appréhension et d'inquiétude.

En outre, des accidents m'avaient été signalés, les injections avaient produit des furoncles, des abcès, des phlegmons, de la lymphite et même des accidents généraux de septicémie tels que fièvre, frissons, etc., etc....

Il était urgent de parer à tous ces dangers, de faire disparaître tous ces impédiments, si l'on ne voulait pas, dès le début, voir s'élever une barrière infranchissable, rendant impossible pour toujours l'application de la méthode dans les proportions qu'elle comporte. C'était restreindre les bienfaits de cette force incomparable à quelques personnes privilégiées douées d'un courage exceptionnel.

Je m'attelai solidement à la besogne et ne fus pas long à triompher du premier obstacle, la douleur.

La douleur tient : 1° à l'introduction de l'aiguille sous la peau; 2° à la causticité même du vaccin qui, une fois introduit dans le tissu cellulaire, cause pendant quelques minutes une très vive brûlure.

Pour diminuer la douleur causée par l'aiguille, je me contentai de réduire le calibre de celle-ci à des proportions extrêmes de finesse. Ce moyen réussit à merveille et c'est à peine si les malades accusent aujourd'hui la plus faible sensibilité au moment de l'introduction de l'instrument.

Pour diminuer la causticité du vaccin, je l'étends d'eau dans des proportions telles que sa présence dans les tissus n'est guère plus douloureuse que celle de l'eau distillée.

Mais en diminuant le degré de concentration du vaccin, n'avais-je pas détruit ou tout au moins atténué sa puissance?

De nombreuses expériences ont résolu victorieusement la question en démontrant que le vaccin atténué conserve toutes ses propriétés à la condition d'élever la dose.

Le premier point était donc élucidé au gré de mes désirs.

Le deuxième obstacle, beaucoup plus grave parce qu'il était un danger réel même de mort, ne pouvait être vaincu qu'à la condition expresse de préparer un vaccin d'une pureté absolue, privé de tout principe septique et par conséquent d'une innocuité complète.

La première condition à remplir pour arriver à mon but était de filtrer rapidement le liquide obtenu de la trituration des testicules, afin qu'il n'eut pas le temps de fermenter pendant le filtrage. Je me servis d'abord des filtres en papier, réputés les meilleurs, tels que ceux de Berzélius

6.

et autres, mais je reconnus bientôt leur insuffisance et dus les abandonner.

En effet, le vaccin ainsi préparé occasionnait à
chaque instant des abcès, des furoncles, de la
lymphite, etc., etc.

Je me servis alors du filtre Pasteur, qui a
sur les filtres en papier une incontestable supé-
riorité au point de vue de la pureté du liquide
obtenu, mais qui présente un grave inconvénient :
je veux parler de la lenteur du filtrage, lenteur
telle qu'avant d'avoir pu obtenir la quantité suffisante de liquide pour une seule séance, je me
trouvais déjà en présence d'un commencement de
fermentation dans le liquide ainsi filtré, et l'opération était à recommencer.

L'inconvénient était radical et il fallait y remédier avant tout, pour que la solution du problème
fut possible.

Le professeur d'Arsonval, à qui je soumettais
mes ennuis, et qui avait souvent éprouvé au Collège
de France les mêmes déboires que moi, imagina
d'augmenter la rapidité du filtrage en adaptant au
filtre Pasteur un réservoir d'acide carbonique
liquide qui permet d'exercer sur le mélange à
filtrer la pression énorme de quatre-vingts atmos-
phères. Cette force considérable provoque en effet
un filtrage très rapide.

Ce système, en outre de sa promptitude, offre de grands avantages. Les propriétés antiseptiques de l'acide carbonique, la haute pression qui le fait pénétrer au travers du liquide à filtrer et le froid que produit la détente du gaz, sont autant d'éléments de stérilisation qui font que le vaccin sorti de cet appareil nouveau n'est plus apte à fermenter.

Le filtre d'Arsonval, pour toutes ces raisons, me parut devoir résoudre le problème, et je croyais avoir atteint mon but, lorsque je constatai qu'au bout de quelques jours le vaccin se troublait et que la fermentation se manifestait d'une façon évidente.

Malgré cette constatation fort contrariante, je ne me décourageai pas, en me disant que, si le système d'Arsonval n'était pas irréprochable, il ne m'avait pas moins fait faire un pas considérable, en me donnant la rapidité du filtrage du liquide et un degré notable de sa stérilisation. Donc, si imparfait qu'il fût, ce système était un progrès énorme que je ne devais pas négliger pour arriver au but définitif.

Après de nombreux essais plus ou moins satisfaisants, mais dont aucun ne me contenta complètement, je filtrai le liquide obtenu au moyen de l'appareil d'Arsonval, sur des scories ferrugineuses appelées mâchefer, recueillant le vaccin dans un

tube perforé à ses extrémités et traversé par un
courant électrique continu.

Sous cette double action, j'obtins la stérilisation
absolue.

Cette manière de filtrer non seulement résolvait
complètement la question, mais l'élargissait considérablement par son merveilleux résultat de joindre
la stérilisation parfaite du vaccin à la promptitude
du filtrage, c'est-à-dire de supprimer tous les inconvénients qui jusqu'alors avaient laissé la préparation du vaccin séquardien dans des conditions
si défectueuses.

Désormais le vaccin pouvait être dilué et inoculé
sans douleur et sans le moindre danger, en raison
de sa stérilisation absolue. En outre, enfermé dans
un vase bien clos, à l'abri de toute contamination
extérieure, il pouvait se conserver indéfiniment et
être transporté aux plus grandes distances sans
perdre aucune de ses propriétés.

Grâce à ce résultat obtenu, la vulgarisation de la
méthode est assurée.

CHAPITRE VII

Transport du vaccin. — Les ampoules de verre. — Manière de les remplir et de les vider. — Le traitement par correspondance.

L'expérience nous a démontré que pour maintenir les résultats acquis, il suffit, lorsqu'ils tendent à disparaître, de faire, de temps en temps, une ou deux injections.

Cette nécessité de renouveler les injections pouvait empêcher bien des malades de conserver indéfiniment les bons effets obtenus par le traitement. Les occupations, l'éloignement, l'impossibilité du déplacement, les frais qu'il occasionne sont autant d'obstacles qui viennent se dresser devant la bonne volonté des malades. Il était donc indispensable de trouver le moyen de transporter, sans qu'il puisse s'altérer, le vaccin stérilisé par mes procédés de filtrage.

Pour arriver à ce résultat, je fis fabriquer des

ampoules de verre d'une contenance de trois
centimètres cubes de vaccin renfermant le liquide
nécessaire à une, deux et même trois séances
d'inoculation, suivant la dose prescrite au malade
et ayant la forme que voici :

Mais la stérilisation du contenant étant aussi
indispensable que celle du contenu, pour remplir
l'ampoule, voici comment je procède :

Je passe l'ampoule à la flamme d'un chalu
meau, puis, lorsqu'elle est suffisamment chaude,
je ferme hermétiquement, toujours à l'aide du
chalumeau, l'une de ses extrémités.

Je chauffe de nouveau et ferme sa seconde
extrémité, de la même manière que la première.

Cette opération produit le vide et stérilise
co mplètement le récipient.

Il n'y a plus qu'à introduire le vaccin dans l'ampoule sans le contaminer.

Voici comment j'y arrive :

Après avoir plongé l'ampoule dans le liquide comme l'indique la figure ci-dessous,

à l'aide d'une pince d'argent je brise l'extrémité inférieure, et aussitôt le liquide remplit l'ampoule, dans laquelle il monte de lui-même en raison du vide préalablement fait par le chauffage.

L'ampoule une fois remplie, je la retourne et ferme au chalumeau l'extrémité que j'ai ouverte.

Le vaccin ainsi abrité contre tout contact avec

l'air extérieur, renfermé dans une ampoule stéri-
lisée aussi parfaitement qu'il a été stérilisé lui-
même, est à l'épreuve de toutes les distances, de
toutes les températures.

Il ne fermentera jamais.

Dès que l'on sût que le remède était transpor-
table et pouvait être appliqué par tout le monde,
en observant certaines précautions et en procédant de la façon que je vais décrire; c'est à
grande peine que je pus satisfaire aux nombreuses demandes qui me furent adressées, même
des pays les plus lointains.

Les nouvelles que m'ont données un grand
nombre de malades et de médecins qui ont fait
usage des ampoules sont la preuve absolue que ni
le transport ni le temps n'ont diminué la puissance incomparable du vaccin séquardien bien
préparé.

CHAPITRE VIII

Manière de faire les injections. — Précautions préli-
minaires. — Du choix de la seringue. — Des
aiguilles. — Nettoyage de l'instrument. — Examen
du piston. — Chargement. — Expulsion de l'air. —
Solution antiseptique. — Vérification des ampoules.
— Manière d'en retirer le vaccin et de l'introduire
dans la Pravaz. — Comment il faut s'y prendre pour
inoculer.

Étant donné qu'on possède le liquide pur et
efficace, il s'agit de procéder à l'inoculation.

Pour cela certaines précautions sont indispensables afin de ne point contaminer le vaccin,
si difficilement obtenu dans un parfait état.

1° L'opérateur doit se laver les mains à fond,
au savon noir et à la brosse, les passer ensuite
dans une solution de bichlorure d'hydrargire au
millième et les relaver au savon noir, dans de
l'eau légèrement alcoolisée.

7

2° La seringue à laquelle j'ai donné la préférence pour l'inoculation du vaccin est la seringue ordinaire de Pravaz, de la contenance de 1 centimètre cube. L'avantage de ce choix consiste en ce que l'instrument est suffisant pour atteindre le but proposé ; que tous les médecins et bon nombre de malades le possèdent et en connaissent déjà le maniement.

3° L'aiguille doit être très fine afin que son introduction sous la peau se résume à une piqûre peu douloureuse, ne provoquant aucune irritation locale après l'opération.

En procédant ainsi, l'inoculation est toujours bénigne, pourvu toutefois que les précautions les plus rigoureuses d'asepsie aient été prises pour la seringue, l'aiguille et la peau du malade.

Avant d'en faire usage, la seringue doit être lavée à plusieurs reprises, à l'extérieur et à l'intérieur, avec de l'eau préalablement bouillie et filtrée. Pour cela, après avoir bien nettoyé la seringue, à l'extérieur, on la trempe dans l'eau bouillie et, faisant fonctionner le piston cinq ou six fois de suite dans toute la longueur de sa course, on est assuré que la seringue est propre.

Si l'on a pris la précaution d'adapter l'aiguille à la seringue, chaque fois, avant de repousser le piston pour chasser l'eau, l'aiguille, du même coup, se trouve parfaitement lavée à l'intérieur.

Cette première opération accomplie, il suffit d'enlever l'aiguille de la seringue et de charger celle-ci de vaccin.. On remet alors l'aiguille, qu'il faut faire passer deux ou trois fois rapidement, soit à la flamme d'une bougie, soit à celle d'une petite lampe à esprit-de-vin.

Puis on dépose la seringue de façon à ce que l'aiguille soit sans contact, et on procède au lavage de la peau du malade, à l'endroit choisi pour l'injection.

Ce lavage s'opère à l'aide d'une serviette trempée dans une solution antiseptique dont voici la formule :

Bichlorure d'hydrargire. . . .   1 grammo.
Salycilate de soude. . . . . .   2 —
Eau distillée. . . . . 1000 —
F. S. A.

Après avoir essuyé avec soin la partie lavée à l'aide d'une serviette bien sèche, on reprend la seringue et afin de chasser l'air qui pourrait rester dans son intérieur ou dans l'aiguille, la pointe de cette dernière étant tournée en haut, on pousse doucement le piston, de façon à faire sortir par l'aiguille, quelques gouttes de vaccin.

Je traiterai tout à l'heure du lieu d'élection

de l'inoculation qui a son importance, mais il faut avant indiquer comment on doit s'y prendre pour faire usage du vaccin contenu dans les ampoules.

1° Il suffit de couper avec des ciseaux une des extrémités de l'ampoule ;

2° De placer cette extrémité ouverte au-dessus

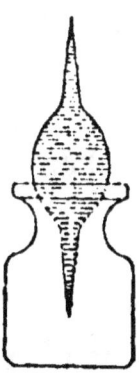

d'un petit flacon préalablement lavé à l'eau bouillie et bien séché;

3° De couper l'extrémité supérieure de l'ampoule qui se trouve hors du flacon, de la même façon que la première, de laisser couler le vaccin dans le flacon, de remplir la seringue en usant de toutes les précautions indiquées précédemment.

Ces précautions prises, il ne reste plus qu'à procéder à l'inoculation. Pour cela, la peau étant largement pincée et soulevée entre le pouce et l'index de la main gauche, on enfoncera profondément l'aiguille de façon à ce qu'elle pénètre sous la peau, en tenant la seringue de la main droite comme une plume à écrire, et on poussera lentement le piston jusqu'au bout de sa course. Il suffit alors de tirer l'aiguille d'une main en maintenant de l'autre la peau qui vient d'être inoculée.

La séance ordinaire comporte deux et même trois inoculations d'un centimètre cube de vaccin.

Après chaque séance, laver la peau avec le liquide antiseptique.

Nettoyer la seringue et l'aiguille à l'eau bouillie, puis essuyer avec soin.

Ne pas oublier de passer dans l'aiguille un fil d'acier ou d'argent qu'on y laissera afin d'en empêcher l'obturation par le fait de l'oxydation.

Le lieu d'élection de l'inoculation a-t-il de l'influence sur le résultat que celle-ci produit ?

Le docteur Brown-Sequard avait pensé qu'il était nécessaire de faire simultanément les injections sur différentes parties du corps, par exemple :

Une sur la cuisse ;

Une dans le dos ;

Une sur le côté du tronc ;

Et une au bras.

En raison de la puissance du suc testiculaire,
il était permis de se demander si l'organe qui
produit directement la force, c'est-à-dire le testicule, n'était pas en même temps celui qui con-
viendrait le mieux à la diffusion de cette force ; et
si l'on n'obtiendrait pas un effet plus rapide et plus
intense, en faisant sur l'organe même les inoculations. Si l'hypothèse était juste, on arriverait
peut-être à obtenir les mêmes effets, en employant des doses de vaccin beaucoup plus faibles.

L'étude de cette question était intéressante,
bien que, dans la pratique, ce mode d'opérer fut
destiné à rencontrer certainement des résistances
bien naturelles.

Je me proposai donc de résoudre ce problème.

Tout d'abord, on devait se demander si l'on
pouvait injecter impunément dans le testicule une
certaine quantité de liquide.

Tout ce que nous savons des travaux de Pasteur nous portait à l'affirmative à la condition *sine
qua non*, bien entendu, que le liquide fut parfaitement stérilisé.

Afin d'élucider la question, je fis des expériences sur les cobayes en procédant de la manière suivante :

Je pris trois cobayes.

Au premier j'injectai, dans un seul testicule, un vingtième de centimètre cube, soit 50 millimètres cubes de vaccin séquardien, d'une irréprochable pureté, dilués au vingtième.

Au deuxième, j'injectai 100 millimètres cubes.

Et au troisième, 150 millimètres cubes de vaccin séquardien de même qualité, dilués dans les mêmes porportions que les 50 autres injectés au premier cobaye.

Dès le premier jour, je constatai un gonflement de l'organe qui augmenta jusqu'au troisième, pour disparaître ensuite assez rapidement, pour que le cinquième jour, chez aucun des trois sujets, il ne restât plus la moindre trace de l'injection.

Je pris alors du vaccin préparé au moyen des filtres ordinaires, et je renouvelai l'expérience sur trois autres cobayes.

Pendant les trois premiers jours, les phénomènes que j'avais remarqués chez leurs devanciers, se reproduisirent exactement, mais l'organe continua à gonfler et mes trois cobayes s'attristèrent, ne mangèrent plus, des abcès se formèrent sur les parties injectées et l'un des trois mourut.

Cela me démontra clairement qu'à part la douleur qui avait été très vivement manifestée pendant et après l'injection du vaccin, l'inoculation faite directement sur le testicule n'offrait aucun inconvénient quand le vaccin était bien stérilisé.

Restait à savoir si (étant choisi pour lieu d'élection de l'injection), un testicule qui a perdu sa faculté de produire le suc testiculaire, conserve encore sa faculté de diffusion, et est plus apte que les autres parties du corps à répandre le vaccin séquardien dans l'économie.

Cette fois, j'opérai sur trois vieux chiens ayant perdu leurs qualités prolifiques ainsi que la vigueur nécessaire à l'accouplement.

Le premier pesait environ . . 5 kilogrammes.
Le second. 7   —
Et le troisième. 0   —

Au premier, j'injectai, dans le testicule, tous les cinq jours, 250 millimètres cubes de vaccin dilué au vingtième.

Au deuxième, 250 millimètres cubes de vaccin semblable, dans la région lombaire, en espaçant de même les séances.

Et au troisième, j'injectai au ventre 250 millimètres cubes du même vaccin, à cinq jours de distance.

Après la troisième injection, l'effet du vaccin se manifesta visiblement chez les deux premiers chiens, dans une proportion à peu près égale.

Quant au troisième, les effets furent beaucoup moins marqués et ce ne fut qu'après la cinquième inoculation, qu'il sembla, au contact de la femelle, retrouver une faible partie de son ancienne ardeur masculine.

N'ayant pas pour habitude de me contenter d'une seule expérience pour me faire une opinion, un mois après avoir laissé reposer les trois chiens et alors que les effets produits sur eux par la première expérience avaient complètement disparu, je me remis à l'œuvre.

La première fois, je n'avais injecté qu'un seul testicule du premier chien.

La seconde fois, j'injectai les deux avec une demi-dose pour chacun d'eux.

De même pour les deux piqûres de la région lombaire du n° 2, ainsi que pour celle du ventre du n° 3.

Mais dans cette seconde expérience, ce fut le n° 1 qui devint le n° 3 et reçut l'injection dans la région lombaire, tandis que le n° 3 devenait le n° 1 et était injecté aux deux testicules.

Les mêmes effets se produisirent identiquement.

Cette fois nous pouvions conclure, et cette conclusion nous fournissait les assertions suivantes :

1° Le testicule des animaux conserve encore la propriété de diffusion, même quand il a perdu sa propriété de production, mais simplement au même titre que les autres parties du corps;

2° Dans les deux expériences, la différence des effets obtenus sur les trois chiens ne provient nullement du lieu d'élection de l'inoculation, mais d'une cause complètement indépendante.

Quant à l'état des animaux:

Le premier chien injecté aux testicules était malade, triste et sans appétit;

Les deux autres mangeaient bien et se trouvaient en bon état.

Ayant à la troisième injection, pour le dernier chien, pris pour lieu d'élection les testicules, le sujet devint triste, sembla souffrir et mangea moins, maigrissant à vue d'œil, comme l'avait fait le premier chien, à la première expérience.

Il est certain que le premier et le troisième chien, qui ont éprouvé des phénomènes de réaction fébrile quand ils ont été inoculés directement sur le testicule, et qui n'ont manifesté aucune fièvre quand l'inoculation a été pratiquée au ventre ou à la région lombaire, doivent ces accidents généraux à la douleur produite par l'inoculation directe.

De ces diverses expériences, on peut conclure:

1° Que le testicule n'offre aucun avantage
comme lieu d'élection de l'inoculation du vaccin ;
que cet organe doit au contraire être l'objet d'une
exception toute particulière à cause de la douleur intense que provoque l'injection ;

2° Que le lieu d'élection de l'inoculation n'a
pas la moindre importance relativement aux
résultats obtenus et, qu'en conséquence, l'opérateur doit choisir de préférence les parties les
moins sensibles à la douleur.

Le dos, dans toute son étendue, les parties
latérales de la poitrine, les régions fessières, sont
les parties du corps qu'on doit choisir plus spécialement, en raison de l'épaisseur des tissus et
de leur peu de sensibilité.

Les personnes qui se font elles-mêmes les inoculations, les feront au ventre et à la partie supérieure et externe des cuisses.

————

CHAPITRE IX

---

*Du choix de l'animal. — Le taureau, le cheval, le
singe, le bouc, le cobaye, le bélier, le chat, le chien,
le lapin. — Des oiseaux : le corbeau, le moineau
franc, le coq. — Action spéciale du chat, du bélier
et du lapin. — Choix du cobaye. — De l'instant pro-
pice à l'ablation. — Son importance. — Ma manière
de procéder. — Avantages du suc bien pris et bien
préparé. — Pourquoi ce livre.*

Dès qu'on s'est occupé de l'influence que pourrait avoir sur l'homme l'inoculation du suc testiculaire des animaux, l'attention s'est portée plus
particulièrement sur ceux qui se distinguent par
leurs qualités prolifiques ou par l'exubérance des
organes de la génération.

A ce point de vue, le taureau, le cheval, le
singe, le bouc, le bélier, le chat, le lapin et le
chien furent l'objet d'examens longs et spéciaux.

En outre, on se demanda si le suc testiculaire

8

de certains oiseaux ne pouvait pas être utilisé, et des ablations, suivies de préparation du liquide, furent faites sur le corbeau, le moineau franc et le coq principalement.

Le suc des oiseaux est absolument sans effet sur l'homme, on en a acquis la preuve certaine.

On se borna donc à faire une étude comparative du suc extrait des testicules des mammifères d'ordres différents.

De mes expériences personnelles et de celles de mes confrères, il résulte que le classement fait par ordre d'efficacité serait le suivant : singe, chien, bélier, cobaye, bouc, cheval, taureau, lapin et chat. Mais, il est permis d'affirmer que chaque animal possède pour ainsi dire une action spéciale dans certains cas pathologiques.

Ainsi, bien que nous l'ayons placé au dernier rang, le chat possède, bien plus que tous les autres, une action puissante qui peut être très précieuse en certains cas.

Son suc testiculaire combat la paraplégie (paralysie des membres inférieurs) en rendant la vigueur aux cordons de la moelle épinière qui répandent la force et la transmettent aux muscles avec une efficacité réellement supérieure à celle du suc testiculaire des autres mammifères.

Cette puissance est poussée quelquefois à un

degré tel que, dans plusieurs cas d'ataxie locomotrice, elle a mis le malade dans un état d'excitation si grand qu'il a fallu renoncer à son emploi.

Le suc du bélier possède également une action
spéciale en agissant particulièrement sur les
fonctions digestives.

Le suc du lapin rend le malade mélancolique,
tandis que celui de cobaye le dispose à la gaîté.

Cette étude sur les qualités spéciales du suc
testiculaire de chaque mammifère, présente le
plus grand intérêt et mérite d'être poursuivie
avec persévérance. Mais, pour le moment, je me
contenterai de dire pourquoi mon choix s'est
arrêté jusqu'à plus ample informé sur le cobaye.

Moins coûteux que le chien et le bélier, le cobaye, par son suc testiculaire, agit directement
sur les organes génitaux tout en conservant
sur l'ensemble des fonctions physiologiques une
action presque égale à celle de l'animal qui en
possède le plus.

Facile à se procurer, à élever, à opérer, d'une
reproduction abondante, très sain, très vigoureux, peu coûteux, le cobaye est incontestablement l'animal qui doit être préféré, à l'exception
de cas spéciaux très rares, ainsi que nous l'avons
indiqué plus haut.

En outre, dès l'âge de deux mois, le cobaye, apte déjà à la reproduction, peut être employé. Or, il est absolument nécessaire de se servir pour la préparation du vaccin du suc testiculaire d'animaux jeunes et ardents.

Le testicule de l'animal jeune et vigoureux est sans contredit l'organe producteur d'une force incomparable. Mais cette force ne réside pas à l'état permanent dans le testicule, il faut choisir le moment précis où elle y atteint son maximum d'intensité pour le saisir et s'en rendre maître. Le moment précis où l'ablation du testicule doit être opérée est celui où l'animal a atteint le plus haut degré de la surexcitation génésique.

Cette affirmation résulte d'expériences personnelles nombreuses qui m'ont donné la certitude que, dans la majorité des cas, l'inégalité dans les effets produits n'a pas d'autre cause qu'un choix inopportun du moment de l'ablation.

Voici comment je procède : J'ai toujours dans mon institut de la rue de Berri, cent cinquante à deux cents cobayes installés confortablement et selon les conditions les plus favorables à leur hygiène.

Sauf pour la catégorie des reproducteurs que nous agrandissons chaque jour en n'y admettant que des sujets de choix, les mâles et les femelles sont séparés.

Chaque matin, avant de commencer la préparation du vaccin, je prends une femelle et la jette
au milieu de quatre ou cinq mâles.

Aussitôt l'ardeur de ceux-ci se manifeste, le
désir s'empare d'eux ; lorsque dans les péripéties
de ce tournoi galant, j'ai reconnu le cobaye qui
me paraît le plus excité, je le tue avant qu'il ait
pu accomplir l'acte de copulation et je pratique
immédiatement l'ablation des testicules.

Pendant que mes aides continuent la préparation, je recommence l'expérience, soit avec les
autres mâles, soit avec d'autres cobayes et cela,
jusqu'à ce que ma provision de la journée soit
suffisante. Ainsi j'obtiens un vaccin provenant d'un
suc saisi à son état d'intensité la plus grande.
C'est un perfectionnement considérable apporté à
la préparation du nouveau régénérateur, perfectionnement sans lequel les résultats sont toujours
inégaux parce qu'ils sont subordonnés au hasard.
J'ai le droit d'en revendiquer l'idée, puisque personne avant moi n'a songé à ce moyen si simple
d'assurer l'égalité dans la puissance du vaccin.

Ainsi qu'on a pu le voir par tout ce qui précède, la préparation du suc testiculaire est très
délicate, très minutieuse. Elle présente de grandes
difficultés et même de réels dangers au moment
du filtrage à haute pression. Elle exige des ani-

maux sains, jeunes, vigoureux, bien choisis et
opérés au moment voulu, un matériel considérable et soigné, une installation *ad hoc*.

Mais, avec du vaccin obtenu dans les conditions que je viens de décrire, on est assuré du
succès toutes les fois que celui-ci est possible, et
les malades n'ont jamais le moindre danger, pas
même le plus léger accident à redouter, quelle
que soit la durée du traitement.

Si les inoculations pratiquées avec du bon
vaccin sont d'une innocuité absolue, n'oubliez pas
que l'injection sous-cutanée faite dans des conditions défectueuses, c'est-à-dire avec de mauvais
vaccin, offre de réels dangers. Les nombreux accidents qui se sont produits au début de l'application de la méthode n'ont jamais eu d'autres
causes que la mauvaise qualité des vaccins. Pour
que la découverte de Brown-Séquard ait résisté à
tous les assauts du commencement, il faut qu'elle
possède en elle-même une vitalité qui la fera
triompher sûrement de tous les obstacles.

Ce que je viens d'affirmer deviendra article de
foi, lorsque le précieux liquide aura été répandu
partout, ce qui ne tardera pas : ma correspondance de chaque jour le prouve indubitablement.

Ce livre était nécessaire pour remettre au point
vrai la découverte de Brown-Séquard, et ensei-

gner à tous, les moyens pratiques d'en retirer les bienfaits immenses qu'elle peut donner.

Il fallait aussi mettre chacun en garde contre les dangers nombreux auxquels s'exposent les imprudents qui font usage de vaccin défectueux ou maladroitement appliqué.

Considérant ce volume comme le meilleur moyen de vulgariser la doctrine, je me suis fait un devoir d'y consigner tout ce qui concerne la question, sans oublier les petites misères par lesquelles il faut passer pour arriver au but.

Dans des cas semblables, il faut tout dire, la conscience l'ordonne ; et, transiger avec elle, lorsqu'il s'agit de la santé, de la vie d'autrui, est un véritable crime que des lois spéciales devraient punir.

Mes expériences personnelles sur le suc extrait des ovaires des animaux démontrent que celui-ci est impuissant à rien produire chez les hommes ni chez les femmes. La femelle ne possède donc pas en elle la force dont dispose le mâle ; aucune partie de l'être féminin ne recèle un élément semblable au suc testiculaire. Ce produit régénérateur appartient exclusivement au mâle, mais n'est sécrété que sous l'influence de la femelle.

CHAPITRE X

Nouvelles remarques sur le liquide testiculaire faites par Brown-Séquard, le 20 décembre 1890, à la Société de biologie et prouvant que sa méthode ne s'applique que par injections.

I. — Des charlatans vendent sous le nom d'élixir et aussi de *Sirop tonique du système nerveux,* un liquide qu'ils prétendent contenir le principe que j'ai signalé comme doué d'une puissance dynamogénique considérable, et qui se trouve dans un liquide qu'on extrait des glandes et des canaux spermatiques. Il importe qu'une protestation énergique soit faite contre ces exploiteurs de la crédulité publique. Ces élixirs ou sirops, ou d'autres préparations encore, sont tous pris par la bouche et par là introduits dans l'estomac.

Or, ainsi que je vais le montrer, le suc gastrique digère évidemment le suc qu'on extrait des organes

spermatiques, puisqu'il leur fait perdre toute puissance dynamogénique. En effet, plusieurs médecins qui, depuis l'an dernier, font souvent usage
sur eux-mêmes d'injections hypodermiques ou
intrarectales de liquide testiculaire, et qui en
obtiennent de grands avantages, ont pensé qu'il
leur serait plus facile d'avaler dans du pain azyme
ou en cachets des morceaux des organes spermatiques. Après trois, quatre ou cinq semaines
d'essais de ce moyen, plusieurs fois par semaine,
ils ont dû y renoncer, parce qu'ils n'en retiraient
aucun profit. Si nous supposons que les remèdes
secrets que l'on annonce comme contenant les
principes actifs du liquide dont j'ai proposé l'emploi en possèdent en réalité une parcelle quelconque, celle-ci devient donc inerte après son introduction dans l'estomac. Il est évident, conséquemment, que ces remèdes ne peuvent aucunement
produire les effets dynamogéniques du liquide
testiculaire injecté sous la peau et dans le rectum.

Cette déclaration de Brown-Séquard, est en
même temps la condamnation de toutes les préparations pharmaceutiques à base de suc testiculaire, et l'affirmation formelle que cet agent régénérateur, n'a de puissance qu'autant qu'il est
employé sous forme d'injections.

CHAPITRE XI

Du dosage. — Ses variations. — Leurs causes. — Tableau des doses à appliquer aux enfants. — Examen primordial des sujets. — Tâtonnements préliminaires indispensables. — Des diverses dilutions : moyenne, forte et faible. — Cas spéciaux de leurs applications. — Recommandations générales. — Durée du traitement et des résultats. — Moyen de les perpétuer.

J'ai établi la puissance du suc testiculaire, indiqué son meilleur mode de préparation, la manière de le conserver pur et efficace, les résultats qu'on en doit attendre, la façon de l'inoculer et sur quels animaux il faut le prendre.

Je vais examiner maintenant une question des plus importantes, celle du dosage.

La quantité du vaccin à inoculer doit varier selon :

1° Son degré de concentration ;

2° L'âge de ceux à qui on l'administre ;

3° La nature de leur tempérament;

4° Celle de leur maladie ;

5° En raison inverse de leur susceptibilité spéciale.

De nombreuses expériences m'ont conduit à adopter comme type la dilution au vingtième.

C'est donc du liquide au vingtième que j'emploie dans les neuf-dixièmes des cas.

A ce degré, le vaccin n'a pas assez de causticité pour que son injection soit douloureuse; il conserve entièrement ses propriétés et se répand facilement dans l'organisme sans accidents généraux graves.

A un degré plus faible, le liquide perd ses propriétés, même si on augmente son volume en multipliant les injections; à un degré plus fort, la douleur reparait et les accidents de réaction générale sont plus à craindre.

Ce n'est donc que dans des cas spéciaux dont nous parlerons à propos de l'application du vaccin sequardien, que ces dilutions plus faibles ou plus fortes doivent être employées.

La quantité du liquide à injecter varie de un à trois centimètres cubes, mais dépasse très rarement ce chiffre.

Ce qui précède ne s'applique qu'aux adultes et aux grandes personnes.

Mais en prenant pour base un centimètre cube, si on injecte des enfants, il faudra observer la gradation suivante :

Pour un enfant de		
1 an,	le dixième de cette dose.	
2 ans,	1 dixième et demi.	
3	2 1/2	
4	3	
5	3 1/2	
6	4	
7	4 1/2	
8	5	
9	5 1/2	

Puis on augmente d'un dixième jusqu'à 15 ans.

Il faut en outre tenir compte des susceptibilités individuelles des sujets.

Certains ne peuvent pas supporter une seule injection d'un centimètre cube, tandis que d'autres peuvent en supporter jusqu'à dix de même quantité et même plus, en vingt-quatre heures.

Avant tout, il faut se rendre compte de l'état organique du sujet, surtout en ce qui concerne les fonctions d'élimination, telles que celles de la peau, du foie et des reins.

Cette étude primordiale étant terminée, il faudra procéder par tâtonnements pour arriver à agir sûrement et rationnellement, de façon à ce que, le malade soumis au traitement en retire autant que possible, les bienfaisants résultats qu'il est en droit d'attendre d'une application bien comprise.

Je ne saurais trop recommander d'agir avec une très grande prudence dans ce que j'appelle les tâtonnements préliminaires.

Commencer à la première séance par injecter un centimètre cube ; si l'inoculation est bien supportée, vingt-quatre heures après doubler la dose, en faisant deux piqûres d'un centimètre cube chacune.

Si aucun phénomène réactionnel ne se produit, tels que fièvre, frisson, chaleur à la peau, maux de tête, inappétence, courbature générale, vous pourrez, quarante-huit heures après, injecter trois centimètres cubes en trois piqûres, qui forment dans les cas ordinaires la dose maxima.

Si le malade subit cette dose sans inconvénient, il ne vous reste plus qu'à étudier l'espacement des séances, qui peut être de 1, 2, 3, 5, 8 et même 15 jours, espacement qui doit être réglé en raison directe des effets obtenus.

C'est dans cette réglementation que réside véritablement la difficulté de la juste appréciation du dosage, car on obtient souvent de meilleurs effets en espaçant davantage les séances qu'en les rapprochant. C'est au médecin à juger, à moins que le sujet ne s'astreigne, pour commencer, à faire lui-même des expériences préliminaires qui lui fourniront la mesure indispensable à la bonne application de son traitement.

Une règle générale est impossible à établir, puisque chaque malade varie par la nature de son tempérament et son plus ou moins de susceptibilité ; néanmoins, il est permis de dire que si l'amélioration obtenue s'accentue chaque jour, on peut rapprocher sans inconvénient les séances ; comme il faudra les espacer plus ou moins si les injections produisent de la fatigue, de la somnolence et une lourdeur générale.

C'est surtout dans l'application des doses exceptionnelles que leur réglementation a une importance capitale, car du plus ou moins de sa justesse dépend presque toujours le succès.

Ainsi que je le montrerai plus loin, par les observations faites sur des malades, c'est quelquefois par des dilutions excessives et souvent renouvelées, qu'une réussite complète a été obtenue ; tandis qu'il faut, dans d'autres cas, avoir recours à un liquide très concentré pour arriver à un bon résultat. C'est pourquoi dans l'application de la méthode Brown-Séquard, comme du reste dans toutes les méthodes, l'expérience joue

un rôle prépondérant. Cette expérience peut s'acquérir rapidement relativement à chaque sujet,
si on procède avec toute la prudence et la lenteur désirables, pendant la période de tâtonnements.

Lorsque l'examen des organes d'élimination révèle une difficulté naturelle résultant d'une affection organique, le liquide, fortement dilué, doit être
employé; c'est dans ce cas seulement que la dilution peut être portée au quarantième et même au
centième, jusqu'à ce que les organes aient, sous
l'influence du traitement, repris leur fonctionnement normal.

Chez les personnes dont les reins sont altérés,
les brightiques, par exemple, nous n'hésitons pas
à commencer par les injections au centième, à la
dose de deux centimètres cubes chaque semaine,
en ayant soin de vérifier les urines et de constater
que la quantité d'albumine n'a pas augmenté.

Lorsqu'il s'agit au contraire de ranimer les forces
chez un malade qui, à la suite d'un accident, d'une
hémorrhagie considérable, a perdu subitement, en
plein état de santé, une quantité de sang assez
grande pour mettre sa vie en danger immédiat,
j'injecte le liquide au dixième et même au cinquième, à raison de deux et trois inoculations
par jour, jusqu'à ce que les forces soient assez

revenues pour que la méthode ordinaire soit applicable.

J'aurai du reste l'occasion, dans les observations qui suivent, de revenir pour chacune d'elles, sur les raisons qui m'ont guidé dans le mode d'administration. Je ne saurais trop le répéter, il ne suffit pas d'avoir à sa disposition un agent puissant, il faut encore savoir l'appliquer de la façon la plus profitable.

Je suis certain que beaucoup de mes confrères n'ont pas obtenu les résultats que j'ai atteints moi-même, parce qu'ils n'ont pas suivi ces lois fondamentales, dont l'application rigoureuse assure le succès.

Pour me résumer, la dose ordinaire, ainsi que je l'ai dit, varie de un à trois centimètres cubes de liquide au vingtième, renouvelée deux ou trois fois par semaine et continuée ainsi jusqu'aux premières manifestations des effets attendus.

Ce but étant atteint, on peut espacer progressivement davantage les séances, jusqu'à ce que leur éloignement, de plus en plus considérable, permette de les cesser complètement.

Ainsi appliqué, la moyenne du traitement dans les cas ordinaires est de vingt séances environ, dans une période de trois mois.

L'effet obtenu peut se continuer fort longtemps,

9.

voire même plusieurs années, mais il faut se garder
de vouloir se soustraire à l'obligation formelle de
la reprise du traitement toutes les fois que les
symptômes de dépression ont une tendance à reparaître, et, dans ce cas, deux ou trois séances
suffisent.

Je citerai plusieurs de mes clients qui main-
tiennent leurs forces en parfait état, en ne faisant
usage que d'une ou de deux injections par mois.

Commencer prudemment et suivre les indications fournies par les résultats obtenus, continuer
la marche rationnelle et efficace du traitement en
n'oubliant jamais que, dans la presque généralité
des cas, il vaut mieux pécher par défaut que par
excès : voilà la formule.

Le vaccin sequardien est, à cause de sa puissance même, un agent qu'il faut savoir manier.

CHAPITRE XII

Mode particulier de l'emploi du vaccin. — Le lave-
ment. — Sa comparaison avec l'inoculation. — Son
utilité dans certains cas. — Préparation du vaccin
destiné à être absorbé par le rectum. — Manière de
l'administrer et de le garder jusqu'à son absorption
complète.

Jusqu'à présent je n'ai envisagé le vaccin
sequardien qu'au point de vue de son administration sous forme d'injection sous-cutanée.
Je ne puis cependant pas passer sous silence un
autre mode que Brown-Sequard a également
signalé à la Société de Biologie, comme devant
rendre d'importants service dans quelques cas.

Ce mode n'est autre que le lavement ayant
pour base le suc testiculaire.

Cette manière d'administrer le vaccin sans
avoir, à beaucoup près, l'efficacité de l'inocula-

tion, ne doit pas être cependant complètement rejetée.

L'analyse rigoureuse des principes constituants du suc testiculaire permet de supposer, avec beaucoup de raison, que l'action réside presque entièrement dans la présence de diastases.

Ces principes, pouvant être absorbés dans le rectum sans subir la moindre altération, il est évident que ce mode d'administration remplit, dans une certaine mesure, le but qu'on désire atteindre, puisqu'il introduit dans l'économie une partie de l'agent régénérateur.

Mais ce n'est là qu'un moyen bien faible, comparé à l'action si puissante et si sûre de l'inoculation, aussi je conseille de n'en faire usage que dans les cas où les injections sont impossibles soit à cause des effets généraux qu'elles produisent, soit à cause de la susceptibilité du malade ou de son invincible répulsion à les subir.

Pendant le cours d'un traitement, au moment où le malade est déjà en bonne voie de rétablissement, le lavement permet d'espacer davantage les injections.

Employé de cette façon, concuremment avec les injections, le lavement m'a souvent été d'un puissant secours dans les bons résultats obtenus, mais il ne faut pas perdre de vue que, ce mode d'administration n'est qu'un pis aller ou un auxiliaire du traitement.

La préparation du lavement et son mode d'emploi sont des plus simples.

L'ablation faite des organes, il suffit de les broyer dans un mortier, d'ajouter vingt fois autant d'eau bouillie, de filtrer sur un filtre ordinaire en papier et d'injecter dans le rectum 75 grammes environ du mélange ainsi obtenu.

Il importe seulement que la fermentation ne l'ait pas altéré.

L'instrument dont on doit se servir pour l'opération est la poire en caoutchouc, semblable à celle dont on fait usage pour les lavements d'enfants, en y adaptant une canule un peu longue.

Cette poire, d'une contenance de 100 grammes environ, suffit, en tenant compte de la déperdition, à l'injection dans les proportions du dosage que je viens d'indiquer.

Ce lavement doit être conservé complètement.

Pour y arriver facilement il faut :

1° Prendre un lavement ordinaire, au clyso, d'un demi-litre (500 grammes) d'eau tiède qui devra être rendu immédiatement et qui n'a d'autre but que le lavage de l'intestin ;

2' Se mettre au lit et prendre le lavement actif suivant les prescriptions précédentes.

Chez les personnes qui, malgré ces précautions, ne peuvent arriver à conserver le second lavement, il faut fractionner davantage les doses en faisant usage d'une poire plus petite et administrer la même dose de 75 grammes en deux ou trois fois, avec un intervalle de quelques minutes.

————

CHAPITRE XIII

---

*Des effets produits par le vaccin sequardien sur l'homme
jeune et bien portant. — Sur les vieillards. — Sur
les faibles de tout âge. — Sur les malades. — Effets
du traitement combinés avec les applications de la
thérapeutique ordinaire.*

Je vais examiner maintenant les effets du suc
testiculaire sur l'individu :

1° Sur l'homme jeune et en parfaite santé ;

2° Sur le vieillard qui ne se plaint que de sénilité ;

3° Sur les faibles de toutes catégories et de
tous âges, quelle que soit la cause de leur faiblesse, sans aucune lésion organique ;

4° Enfin sur les malades.

Sur l'homme jeune et en parfaite santé, en
dehors des accidents locaux, c'est-a-dire la douleur, le gonflement, etc., résultant de l'inocula-

tion, les fonctions physiologiques ne subissent aucune modification appréciable.

Sur le vieillard simplement sénile et subissant les inconvénients que cet état comporte, l'action du vaccin sequardien, si les fonctions ne sont qu'amoindries et non anéanties, se manifeste très rapidement par un relèvement progressif général de toutes les fonctions physiologiques. Il est rare qu'après un nombre de séances variant de dix à vingt, le sujet n'ait pas reconquis une grande partie des forces perdues.

Je suis heureux de dire que, sur ce point, mes observations personnelles très nombreuses sont venues confirmer d'une façon absolue la première communication de Brown-Sequard que j'ai reproduite textuellement au commencement de ce livre.

La marche du développement des forces humaines, depuis l'âge de puberté jusqu'à la vieillesse complète, peut être comparée au voyage d'un touriste qui gravirait une montagne dont le sommet serait un plateau.

Au fur et à mesure qu'il en commence l'ascension, ses forces et ses facultés augmentent. Arrivé au plateau, il constate leur stationnement ; mais sa marche ne s'étant point arrêtée, fatalement il arrive à la descente ; et graduellement aussi, dès qu'il l'accomplit, ses forces physiques et morales diminuent.

La sénilité commence au moment où il va être obligé de descendre.

La grande question que résout victorieusement la découverte de Brown-Séquard, était de savoir s'il était possible de prolonger le séjour du plateau et de retarder cette descente fatale.

Non, la descente, quoiqu'on fasse, arrive à son heure, mais dès qu'elle a commencé, et c'est là le point capital, le vaccin séquardien donne la possibilité de retourner facilement en arrière, si vous l'appliquez dès que vous sentez vos aptitudes fonctionnelles diminuer d'intensité.

Et tout ce temps de recul que la méthode vous aura fourni en vous permettant de rétrograder, temps qui peut se prolonger pendant des années dans l'entière plénitude de vos fonctions, est une conquête véritable sur la vieillesse et, par conséquent, une prolongation indéniable de l'existence.

Loin de nous la pensée d'affirmer pour cela que la méthode Brown-Séquard donne l'immortalité! Mais elle retarde l'échéance et en rend les dernières étapes plus lentes et plus douces en les exonérant des infirmités si pénibles à la partie finale de la vie.

Logiquement, ceux qui suivent cette médication doivent mourir tard, doucement, de vieillesse, sans connaître ses cruels inconvénients, ce qui est incontestablement la moins pénible des morts.

Quant à la hauteur où se trouve le plateau et à son étendue, il est impossible de la définir d'une façon générale. Tel l'aura parcouru à trente ans, quand un autre l'aura à peine atteint à cinquante. Pourtant on peut dire que la sénilité commence ordinairement de quarante-cinq à cinquante-cinq ans.

Sur les faibles de toute catégorie et de tous âges sans altération organique, que leur faiblesse provienne d'un défaut de constitution, de fatigues corporelles et morales, d'excès, de privations, de douleurs, de manque d'hygiène, de tout ce qui, en un mot, peut être une cause de déperdition des forces ou d'empêchement à leur développement, en dehors, bien entendu de la maladie, le vaccin régénérateur trouve les indications de son application et produit de prompts et de merveilleux effets.

Il est rare que cinq à dix injections n'amènent pas chez eux un relèvement complet.

Il est surtout à remarquer que dans tous les cas que nous venons de citer, le vaccin sequardien suffit seul au relèvement des forces.

Il n'en est plus de même quand la dépression physique ou morale a pour cause une lésion organique ou une maladie quelconque.

Chez les malades, c'est-à-dire dans les cas pathologiques, le vaccin sequardien trouve encore son utilité ; mais dans ces cas, il devient un auxiliaire plus ou moins puissant de la thérapeutique ordinaire.

Le vaccin agit toujours de la même manière comme régénérateur de la force ; c'est en redonnant de la virilité aux fonctions physiologiques dont il est le régulateur par excellence, qu'il permet aux médicaments de produire leur maximum d'action qui consiste à guérir, ou tout au moins à prolonger la vie.

C'est ainsi que dans les affections valvulaires du cœur, dans les dégénérescences du muscle cardiaque lui-même, alors que l'organe essentiel de la circulation avait perdu une grande partie de sa puissance, quand les moyens thérapeutiques ordinaires tels que la digitale, la caféine, le strophantus et autres agents du même ordre employés seuls, ne produisaient plus d'effets, que le malade marchait rapidement vers le terme final, c'est alors, dis-je, que j'ai vu par l'emploi simultané de ces mêmes agents et du vaccin sequardien, les fonctions physiologiques du cœur se régu-

lariser et permettre au malade condamné à une
mort prochaine, de reprendre une existence possible pendant plusieurs mois.

Ce que je viens de dire pour le cœur se
produit également pour les autres organes ainsi
que le démontrent les observations qu'on lira
plus loin.

CHAPITRE XIV

---

*Des effets immédiats locaux ou généraux qui se pro-
duisent ou peuvent se produire pendant et après
l'inoculation. — Effets physiologiques. — La moelle.
— Le cerveau. — Le grand sympathique.*

Pendant l'inoculation, le malade éprouve la
douleur de la piqûre résultant de l'introduction
de l'aiguille et celle causée dans les tissus voisins
par l'intromission du liquide injecté.

La douleur de la piqûre est à peine appréciable,
tandis que l'autre, dure de cinq à dix minutes
chez les gens très sensibles, et décroît pendant un
quart d'heure progressivement pour se transformer simplement en une sensation de gêne ou de
tension.

Mais quelques heures après, c'est-à-dire ordinairement dans la nuit qui suit l'injection, une

légère douleur se réveille parfois pendant quelques heures, pour disparaître complètement dans la journée du lendemain.

Il arrive aussi que quelques phénomènes de réaction générale caractérisés par un mal de tête, de la courbature dans les membres, voire même quelques frissons se produisent dans la nuit qui suit la première injection, et plus habituellement dans celle qui suit la deuxième; mais ces phénomènes se dissipent rapidement, et un bien-être complet leur succède.

Dans quelques cas exceptionnels, le siège de l'injection devient le foyer d'une lymphite légère, se traduisant par la persistance de la douleur, une petite induration, de la rougeur et du gonflement.

Tout cela n'a aucune gravité, guérit en deux ou trois jours et ne laisse pas la moindre trace.

Quant aux multiples effets du vaccin sequardien, savoir :

1° Sur la moelle ;

2° Sur le cerveau ;

Et 3° sur le grand sympathique.

Sur la moelle, ils se traduisent par une activité plus grande du système musculaire : la marche est plus facile, moins fatigante, d'une plus longue durée ; la pression et la traction des bras augmentent en force, et on peut en acquérir aisément la preuve par le dynamomètre.

Ils exercent également sur le muscle cardiaque une action tonique qui se produit par une activité plus grande de la circulation, la diminution de la tension dans les vaisseaux, la force et la régularité du pouls, action qui peut être comparée à celle de la digitale, ainsi que l'a établi le professeur Pœlh, de Saint-Pétersbourg.

En outre, ils augmentent la puissance de la respiration : les catarrheux voient leurs mucosités diminuer et leurs bronches devenir plus libres, les emphysémateux reconquièrent assez promptement l'élasticité des vésicules pulmonaires, l'étouffement diminue et l'ascension devient moins pénible.

Les fonctions digestives sont heureusement influencées : l'appétit augmente et la facilité de la digestion s'accentue; c'est même là une des premières manifestations du traitement.

Selon que la vessie a perdu plus ou moins sa puissance de contractilité ou que son sphincter seulement est affaibli, la force de projection de l'urine augmente ainsi que la longueur du jet.

De même quand le sphincter seul est intéressé, et qu'il y a incontinence, celle-ci diminue ou disparaît complètement.

En un mot, la vessie reprend de la tonicité, soit dans son ensemble, soit par son sphincter seulement.

L'action sur la défécation est de même nature : les matières sont expulsées plus facilement, lorsque la difficulté de défécation a pour cause la paresse du gros intestin ; et elles peuvent être retenues en cas de relâchement du sphincter.

Une des manifestations les plus certaines et les plus promptes de la puissance du suc testiculaire sur la moelle épinière, se traduit par le retour de la faculté d'érection tant que la virilité n'a pas complètement disparu.

On verra plus loin, à ce sujet, plusieurs observations très intéressantes qui confirment mon dire.

Un des effets non moins curieux du suc testiculaire est d'augmenter la température du corps tombée au-dessous de la normale et de l'abaisser quand elle est au-dessus, de sorte que le même agent peut avoir sur le même individu, à des moments différents, deux actions diamétralement opposées.

A l'appui de ceci et pour bien l'expliquer, prenons un malade atteint d'une affection aiguë des voies respiratoires, pendant toute la durée de la période fébrile, alors que la température peut s'élever jusqu'à 39 et même 40 degrés, l'administration du vaccin sequardien l'abaissera certainement de 1 ou même de 2 degrés. Mais chez le même malade, lorsque la fièvre a cessé et qu'il va entrer en convalescence, c'est-à-dire au moment de la grande dépression des forces, par les injections, la température remontera de 35 à 36 1/2 et même à 37 degrés.

Ce fait, qui paraît étrange au premier abord, vient pourtant prouver une fois de plus que le vaccin sequardien a pour effet principal le rétablissement de l'harmonie dans toutes les fonctions physiologiques.

Sur le cerveau, les effets se traduisent par une activité plus grande de l'organe, une plus grande aptitude au travail, par le retour de la mémoire, par la disparition des vertiges, l'assurance pendant la marche, l'énergie des résolutions, la rapidité de la conception et la facilité d'élocution, par la souplesse des mouvements de la langue, la faculté de supporter sans fatigue l'éclat des lumières, le bruit des foules, une longue soirée théâtrale, les nuits de jeu, etc., etc.

En outre, l'usage du vaccin rend le sommeil à ceux qui l'avaient perdu et le fait plus calme s'il était agité, provoquant ainsi un repos réel dont l'influence réparatrice n'a pas besoin d'être démontrée.

Tels sont les effets ordinaires produits sur les cerveaux sains ; ces effets ne sont pas moins remarquables sur les cerveaux malades.

En donnant à la circulation une activité plus grande, le suc testiculaire facilite chez les apoplectiques l'organisation et la résorption du caillot épanché.

C'est ce qui explique les effets miraculeux obtenus dans certains cas d'hémiplégie, et la disparition rapide des maux de tête congestifs chez ceux qui suivent le traitement.

Les expériences du professeur Mairet, de Montpellier, contenues dans ce volume, démontrent de la façon la plus évidente l'action bienfaisante du vaccin séquardien dans les cas les plus divers de l'aliénation mentale.

Mais c'est surtout dans l'hypochondrie que nous avons pu personnellement apprécier la rapidité des résultats ; il est rare, en effet, qu'après quelques semaines de traitement les moroses et même les hypochondriaques n'accusent pas une tendance marquée à un retour de gaîté.

A tous ceux, sans exception, qui suivent pendant un certain temps la médication, la vie semble meilleure, bienfait inespéré jusqu'ici, on doit le reconnaître.

Le grand sympathique et par conséquent, le

système musculaire spécial aux fonctions duquel il préside, bénéficient également de son action.

Tout ce que nous avons dit à propos du cœur de l'estomac, des intestins, des yeux, en est une preuve absolue.

Cette action spéciale sur les fibres lisses se trouve souvent confondue avec celle qu'il exerce sur la moelle, mais elle n'en existe pas moins.

CHAPITRE XV

Aux suggestionnistes.

Certains médecins dont le raisonnement n'est pas en rapport avec le grade élevé qu'ils occupent, obligés de se rendre à l'évidence devant la précision et la multiplicité des faits accomplis, ont dit : Tout ce que vous avancez est vrai, nous ne pouvons le nier; mais le suc testiculaire n'y est pour rien. Vous faites purement et simplement acte de suggestion sur vos malades. C'est la suggestion qui les guérit et non le suc testiculaire. La preuve de ce que nous disons est dans ce que nous pouvons obtenir, avec de simples injections d'eau claire, des effets identiques à ceux que vous annoncez avoir produits par les vôtres.

Très honorés confrères, je ne suspecte nulle-

11

ment votre bonne foi, mais avant toute chose,
permettez-moi de prendre acte de votre déclaration, et de constater que vous êtes d'accord avec
moi sur les effets produits et sur l'importance de
ces effets. C'est déjà quelque chose puisque c'est
le malade qui bénéficie du résultat, et que le but
de notre profession est de soulager et de guérir
ceux qui souffrent.

Pour ce qui est de la suggestion, je n'ai nullement l'intention de contester le bien que vous en
pouvez retirer. C'est un mode de traitement, et
les injections de suc testiculaire en constituent
un autre. Que par ces moyens différents nous
arrivions au même but, je veux bien l'admettre,
mais pour un instant seulement, car telle n'est
pas ma conviction. Que vous préfériez votre système au mien, cela vous regarde, mais ne venez
pas me dire que c'est la suggestion qui donne au
suc testiculaire la puissance qu'il possède réellement. Ce raisonnement absurde serait la négation
de la thérapeutique et la suppression d'un seul
coup de toute la pharmacopée. C'est nous repor-
ter au temps des miracles, et ce temps est bien
loin de nous. A quoi servent tant d'études pour
arriver à cette conclusion qu'un peu d'eau claire
et beaucoup de suggestion suffisent à guérir
toutes les maladies?

Médecins et médicaments deviennent dès lors inutiles; un peu de volonté les remplace avantageusement.

Tout cela n'a pas le sens commun et est indigne de cerveaux que de longues années de pratique devraient avoir mûris. Mais si insensé que cela soit, je veux bien supposer que cela est.

Peut-on en déduire la preuve que le suc testiculaire n'a pas d'action qui lui soit propre? Non! mille fois non! quelques exemples suffiront à vous convaincre et à édifier mes lecteurs sur la valeur de votre raisonnement.

Prenons deux condamnés à mort:

M. Deibler tranche la tête du premier condamné avec le vulgaire couteau de la guillotine, tandis que vous donnez au second, préalablement suggestionné, un verre d'eau claire. Ce moyen si simple que je suis étonné de ne pas le voir mis en pratique, suffit à amener le même résultat que le précédent. Parce que vous aurez tué avec un verre d'eau cet homme suggestionné par vous, en résultera-t-il que le couteau de M. Deibler n'ait pas accompli son œuvre sans la moindre suggestion?

Si l'eau, aidée par la suggestion, peut devenir un tonique aussi puissant que le meilleur Chambertin, cela n'empêchera jamais cet excellent vin

de rendre aux faibles bien des services. Je crois
même que les faibles n'hésiteront pas entre les
deux moyens et prendront le Chambertin malgré
l'économie de votre procédé.

Et puis, pour que le suc testiculaire guérisse
par pure suggestion, encore faudrait-il trouver
des malades susceptibles d'être suggestionnés;
et, de plus, avoir l'intention de les suggestionner.
Or, je vous déclare que je n'ai jamais eu l'intention d'agir par suggestion sur aucun des malades
que j'ai traités par les injections de suc testiculaire. Et je crois que les nombreux médecins des
cinq parties du monde qui chaque jour mettent
en pratique la méthode séquardienne procèdent
comme moi.

J'ai fait mieux, et bien d'autres ont fait de
même. Afin de me rendre compte exactement de
l'influence directe que l'imagination du malade
pouvait avoir sur l'effet produit, j'ai fait vingt-
deux fois, sur des personnes atteintes d'affections
différentes, des injections de suc testiculaire jusqu'à ce que j'aie obtenu des manifestations évi-
dentes de l'action du remède. Puis, sans prévenir
les malades, je remplaçais le suc testiculaire par
des injections d'eau distillée. Les malades ne tar-
daient pas à constater que le mieux obtenu ne
persistait pas. Je revenais alors aux injections

de suc testiculaire, et les bons effets dynamogéniques se manifestaient de nouveau. Ces vingt-deux épreuves et contre-épreuves ajoutées à toutes celles qu'ont signalées plusieurs médecins, sont une démonstration dont la solidité ne peut être mise en parallèle avec l'illogisme du raisonnement sur lequel vous vous appuyez pour dire que le suc testiculaire n'agit que par suggestion.

La suggestion, très honorés confrères, a du bon. Elle peut rendre des services dans certains cas particuliers et vous faites bien d'en user. Mais soyez persuadés qu'elle n'est pour rien dans l'action de la digitale sur le cœur, de la quinine sur la fièvre, de l'huile de foie de morue sur le rachitisme, ni du suc testiculaire sur la moelle épinière.

Lisez avec soin les six cas de phtisie pulmonaire traités par ma méthode, et consignés dans ce volume, vous vous rendrez compte facilement que la suggestion ne peut avoir ici aucune prise sur des maladies de cette nature; et que, si elles ont été guéries, c'est grâce à une force thérapeutique qui n'a rien de commun avec la suggestion.

———

11.

CHAPITRE XVI

L'avenir de la méthode.

Assez de théories qui ne font que paraître et disparaître. Des faits, des faits, encore des faits, toujours des faits! Voilà la vraie méthode, celle des Claude Bernard et des Brown-Séquard, qui ont fait de la médecine une science aussi positive, aussi précise qu'un axiome de géométrie. C'est à coups de faits que j'ai forcé et que je forcerai les sourds à entendre, les muets à parler, les aveugles à voir, ceux même qui ne veulent ni voir, ni entendre, ni parler. C'est d'un fait qu'est née la méthode. Ce fait, constaté sur lui-même et proclamé devant la Société de Biologie par son président, Brown-Séquard, c'est-à-dire par un homme occupant à juste titre la plus haute situation scientifique; par un homme dont la probité et le désintéressement professionnels défient toute critique, méritait, à cause du fait qui était intéressant et aussi à cause de son auteur, une vérification immédiate. C'était le but de la communication; partir de ce fait isolé et en faire la base d'un vaste champ d'expériences d'où sortirait promptement et infailliblement la vérité. J'ai dit comment on répondit à l'appel du Maître. Mais si les membres de la Société de Biologie commirent la faute grave de ne pas prendre en considération sérieuse la découverte de Brown-Séquard, d'autres praticiens plus clairvoyants, comprenant toute l'importance de la communication et les résultats incalculables qui en découleraient naturellement si des faits nouveaux venaient confirmer le fait annoncé, se mirent résolument à l'œuvre. Je me félicite tous les jours d'avoir été un des premiers, sinon le premier parmi ceux-là.

Quand on mesure d'un coup d'œil le chemin parcouru depuis le jour où Brown-Séquard faisait sa première communication à la Société de Biologie jusqu'à aujourd'hui, c'est-à-dire en deux années. On se rend compte de ce que peut faire la volonté d'un homme en possession d'une vérité scientifique, malgré l'indifférence générale, et ce

qui est pis encore, malgré le ridicule. J'avais expérimenté avec conscience, j'avais vu, j'avais la foi.
Ma conviction faite, je n'eus plus qu'un but :
1° rendre pratique, maniable et sans danger cette
force considérable, qui fait du suc testiculaire
l'agent thérapeutique le plus puissant que nous
possédions; 2° appliquer cette force aux cas les
plus divers, afin d'étendre autant que possible la
limite du bien qu'elle peut procurer à l'humanité.
La lecture de ce livre prouve que j'ai atteint ce
double but. Le vaccin testiculaire sorti du laboratoire de mon institut de la rue de Berri est
d'une innocuité absolue, et sa conservation est
parfaite et indéfinie. Facile à expédier, il arrive
aux extrémités les plus reculées des cinq parties
du monde en pleine possession de ses précieuses
propriétés dynamogéniques. L'administration en
est si simple que chacun, même sans le secours
du médecin, peut, sans le moindre danger, pratiquer sur lui-même les injections du suc testiculaire, s'il observe les instructions rigoureuses
relatives à l'asepsie de la peau et des instruments. Enfin, une énorme quantité de faits pathologiques absolument différents sont consignés
dans ce travail. Soit qu'ils émanent directement
de mes observations personnelles, soit qu'ils
aient été observés par des médecins distingués,

qui m'adressent de toutes parts les résultats de leurs expériences, ces faits constituent la preuve absolue que la méthode peut être appliquée avec fruit ¡ ¡x maladies les plus diverses.

Tous ces faits, observés en même temps à Fort-Louis, à Mexico, à New-York, à Saint-Pétersbourg, à Vienne, à Berlin, à Florence, à Genève, à Madrid, à Bruxelles, aussi bien qu'à Paris, par des médecins opérant sérieusement et isolément sur des maladies très différentes, mais toujours dans le sens du relèvement des forces, avec le même liquide ; tous ces faits, dis-je, sont la confirmation éclatante du résultat affirmé par Brown-Séquard. Le suc testiculaire est une force d'une puissance incomparable; cette force peut être utilisée au bénéfice des êtres affaiblis; telles sont les vérités qui se dégagent de mes nombreuses observations.

Maintenant que la méthode est assise sur des milliers de faits plus concluants les uns que les autres, elle est inébranlable sur sa base, son avenir est assuré. N'ayant plus à la défendre, je veux la vulgariser. Ce livre a été écrit dans ce but. Faire participer le plus grand nombre aux immenses bienfaits de la découverte de Brown-Séquard en fournissant à chacun le moyen de s'appliquer sans intermédiaire les inoculations régénératrices, tel est mon désir le plus ardent.

La puissance du vaccin est illimitée dans la variété de ses effets; le vaccin lui-même, grâce aux perfectionnements que j'ai apportés à sa préparation, est inoffensif et facile à transporter; bientôt, j'espère pouvoir le rendre accessible aux bourses les plus modestes. J'entrevois donc, dans un avenir peu éloigné, l'heure où tout le monde se sera rendu compte par lui-même ou par les siens des qualités merveilleuses du suc testiculaire, et de tout le parti qu'on peut en tirer, au point de vue du maintien de la santé et de la force, aussi bien qu'à celui de la guérison des maladies. A ce moment, la lumière sera faite. Dans toutes les familles, depuis la plus riche jusqu'à la plus pauvre, on trouvera en réserve, au même titre que le feu, le pain et le sel, une ampoule remplie du précieux agent régénérateur. A toute heure du jour ou de la nuit on y pourra puiser, en cas de besoin, la force et la vie.

La découverte du principe dynamogénique contenu dans le suc testiculaire et son application au relèvement ou à la conservation des forces humaines placeront Brown-Séquard au premier rang des bienfaiteurs de l'humanité. Ceux qui ont combattu sans trêve pour le triomphe et la vulgarisation de cette conquête de la science, qui

l'ont dégagée du cercle restreint où l'avait placée
son auteur et en ont étendu les bienfaits à la
presque universalité des malades et des faibles,
trouveront la récompense de leurs efforts et de
leurs travaux dans la satisfaction d'avoir été utiles
à leurs semblables. Trop heureux si ceux-ci leur
laissent dans leur reconnaissance une modeste
place à côté du Maître.

CHAPITRE XVII

Conclusions.

D'après tout ce que nous avons dit, il est facile de conclure que l'action du vaccin scquardien sera toujours une action de tonicité sur les centres nerveux : c'est le principe dynamogéniant par excellence.

Toutes les fois qu'il y aura un organisme affaibli, sans en chercher la cause, il trouvera son application. Car tous nos organes reçoivent leur impulsion du système nerveux.

Le relèvement des forces suffira le plus souvent à la guérison du malade. Dans les cas plus compliqués, l'action combinée du suc testiculaire avec les agents thérapeutiques ordinaires leur sera encore un auxiliaire très puissant et souvent indispensable.

En un mot on peut dire, sans crainte de se
tromper, que ce principe de force est presque
applicable dans tous les cas, soit pendant la maladie pour soutenir le malade, soit après la maladie
pour l'aider à récupérer les forces qu'il aura perdues, puisque toute maladie est une cause de
déperdition.

Faut-il conclure de là que le suc testiculaire
guérit tout? Non, pas le moins du monde ; il suffit
quelquefois à lui seul pour guérir, mais dans la
plupart des cas il a besoin d'être aidé par le traitement que réclame chaque maladie.

Il ne nous reste plus maintenant qu'à bien définir
les différents cas de son application et à les classer,
ce que nous ferons le plus clairement possible par
les observations qui suivent.

Dans ces observations, la première catégorie
comprendra toutes les maladies dont la cause
primordiale est la faiblesse émanant de l'âge, des
fatigues, des excès, etc., etc.

La deuxième catégorie comprendra les observations faites sur des malades dont les organes
sont réellement atteints, utilisant ainsi tout ce
qu'il est possible du nouvel agent régénérateur.

DEUXIÈME PARTIE

CHAPITRE I

Observations publiées et commentées par Brown-Séquard. — Nouveaux faits relatifs à l'injection sous-cutanée, chez l'homme, d'un liquide extrait de testicules de mammifères.

Depuis la publication du numéro d'octobre de ce journal (1), qui contient deux Mémoires de moi sur le liquide testiculaire, un grand nombre de faits, capables d'intéresser les physiologistes comme les médecins, sont venus à ma connaissance.

I. — Parmi ceux de ces faits que je crois utile de faire connaître, il y en a quelques-uns que je crois devoir mentionner tout d'abord, non seulement à cause de leur très grande importance, mais aussi parce qu'ils ont été observés et publiés

(1) *Archives de physiologie* du mois de juillet 1890.

par un jeune médecin, le docteur R. Suzor, dont je connais le savoir et la scrupuleuse exactitude. J'ajoute que cet excellent observateur a été l'élève de mon illustre confrère M. Pasteur et le mien.

C'est dans mon pays, l'île Maurice, où il y a beaucoup de lépreux, que M. Suzor, mon compatriote, a fait sur deux de ces infortunés l'application de la méthode d'injections sous-cutanées de liquide testiculaire. Son travail a été lu par lui à la Société des Arts et des Sciences de Port-Louis, le 25 octobre dernier. Il contient trois observations, dont deux, comme je l'ai déjà dit, sont relatives à des lépreux, et dont la troisième a pour objet une malade atteinte de la terrible malaria, qui règne depuis nombre d'années à Maurice. Ces trois faits montrent bien la grande puissance de la liqueur testiculaire sur le système nerveux, et comme ils courent le risque de n'être jamais connus en Europe, je vais les rapporter sans les abréger beaucoup.

OBSERVATION I

M. X..., trente ans, atteint de lèpre tuberculeuse, peut à peine marcher, tant il est faible. Il a perdu tous ses ongles; les doigts et les mains, triplés de volume, sont rigides, ulcérés, saignants. Appétit et sommeil nuls; yeux rouges, enflammés, photophobie très notable; douleurs partout; pieds très enflés; la majeure partie du temps au lit ou accroupi sur le plancher. Peu d'effets par les premières injections;

mais les suivantes ont donné des résultats très appréciables. Il a pu écrire une lettre de dix-neuf pages avec une écriture très ferme. Douze jours après la dernière injection, M. Suzor a constaté qu'il est plein de vie; il parle haut et vite, marche ou se remue sans cesse. La main droite se ferme avec facilité; la plupart des ulcères sont en voie de cicatrisation; les pieds sont dégonflés; les yeux beaucoup moins enflammés, supportent facilement une lumière assez vive; les douleurs ont presque complètement disparu; sommeil meilleur; appétit bon.

OBSERVATION II

Z...., quarante ans, lèpre à forme nerveuse. Doigts typiquement incurvés en forme de marteau, trois ulcères profonds à la plante des pieds; les yeux rouges; photophobie; anémie; faiblesse très grande; insomnie. Dès les premières injections, effets très accentués. Sommeil très amélioré; sentiment inaccoutumé de vigueur. Il portait avec peine un seul arrosoir d'eau; aujourd'hui il en porte deux avec facilité. Il marchait autrefois avec difficulté, s'arrêtant à chaque instant pour souffler, époumonné, le cœur battant très vite. Aujourd'hui il fait d'une traite une course de trois milles et autant pour revenir (plus de 9 kilomètres et demi). L'appétit est devenu excellent; les yeux sont complètement dérougis et la lumière du jour (dans un pays intertropical) ne l'incommode plus; pieds complètement dégonflés. L'un des ulcères est complètement cicatrisé, les deux autres en voie de cicatrisation.

OBSERVATION III

Mme X..., vingt ans, jaune, anémiée, abattue par fièvre malariale quotidienne, languissante, travaillant avec

12.

peine et sans entrain. Après une seule injection, elle se
sent toute ragaillardie ; la fièvre intermittente disparaît
et la malade redevient vive, active, gaie (1).

Les faits du Dr Suzor, observateur conscien-
cieux et exact, ont la plus haute importance, non
seulement au point de vue thérapeutique, mais
aussi au point de vue physiologique. On sait que
chez les lépreux les altérations de nutrition, les
gangrènes, les ulcères dépendent, comme les douleurs, d'irritation de la moelle et des nerfs. On peut
donc comprendre comment des changements dyna-
miques dans le système nerveux, et surtout dans
la moelle épinière, ont pu faire disparaître ces
irritations et produire des cicatrisations. Incontestablement, au point de vue physiologique, on
a, dans ces faits, la preuve décisive d'une action
des plus énergiques de la liqueur spermatique sur
la moelle épinière.

II. — Un autre fait extrêmement remarquable
est celui d'un médecin de Paris, dont j'ai déjà parlé,
annonçant qu'il s'était amélioré (2). (*Archives*, octobre 1889, p. 745.)

(1) Le travail du Dr Suzor a paru dans le *Compte rendu*
des séances de la Société des Arts et des Sciences, dans le
Cernéen, journal de l'île Maurice, le 25 octobre 1889.

(2) Ce fait est assez important pour que j'en donne ici
quelques détails. Voici à peu près ce qu'a écrit le Dr Variot

Dans la dernière lettre où le Dr Variot m'a parlé de lui, il dit : « Le docteur X..., débilité, infécond et devenu impuissant (avant le traitement), a continué avec persévérance à se faire injecter. Actuellement, il a récupéré absolument la puissance génitale, sa santé générale s'est affermie, et il a repris son activité psychique ordinaire et son activité professionnelle. » Il ajoute que c'est un des beaux succès de la méthode. Cela n'est pas douteux; mais ce qui ne l'est pas moins, au point de vue physiologique, c'est la preuve de la puissance dynamogéniante du liquide testiculaire sur les centres nerveux, et surtout sur la moelle épinière.

au sujet de ce malade : « Dr X..., âgé de trente-cinq ans, soigné depuis plus d'un an pour une impuissance presque absolue. Malgré les blennorrhagies et une épididymite double, la puissance génitale avait persisté jusqu'à trente-trois ans. A l'impuissance se joignaient des causes morales qui avaient contribué à jeter le malade dans la tristesse et l'abattement. La première injection fut faite le 5 août; aucun effet ne se montra. La seconde fut faite le 7; aucun phénomène ne fut observé les quatre ou cinq jours suivants. Dans la nuit du 11 au 12, érection suivie d'éjaculation avec sensation voluptueuse. L'appétit augmenta d'une façon notable; la force musculaire s'accrut : 50 au dynamomètre au lieu de 40. Troisième injection le 14 août. Insomnie la nuit suivante. » On continue le traitement.

Un mois après la première injection, l'état moral est meilleur; les rapports génitaux sont possibles, mais non fréquents. Le résultat final est rapporté ci-dessus.

III. — Nous devons au Dr H.-C. Brainerd, de Cleveland, Ohio (États-Unis), un travail très digne d'intérêt, montrant que, dans les cas les plus variés d'affaiblissement, la liqueur extraite de testicules d'animaux peut être employée avec le plus grand succès, chez l'homme, en injections sous-cutanées (1). Au moment où il a publié les résultats généraux que je vais exposer, il avait fait de ces injections sur plus de deux cents individus, dont dix-neuf du sexe féminin. Il divise ses cas comme il suit : une classe contenant les individus qui n'ont éprouvé aucun bénéfice de ces injections ; une seconde classe comprenant des individus qui étaient faibles sans être malades ; une troisième, de beaucoup la plus nombreuse, contenant des gens affaiblis par des maladies diverses. L'auteur dit :

« Le fluide employé, dans tous les cas, a été pris des glandes (spermatiques) d'un mouton jeune et en bonne santé, que l'on avait tenu isolé pendant vingt-quatre heures au moins et bien nourri. Pour agir en harmonie avec la théorie de la résorption, on liait les veines spermatiques et le vaisseau déférent aussi loin du testicule que possible, avant de faire l'ablation de l'organe. Celle-ci faite, on exprimait avec soin, par pression, le fluide contenu

(1) Voyez *The medical World Philadelphia*, octobre 1889, p. 396.

dans les veines spermatiques, puis on vidait l'épi-
didyme et le vaisseau déférent, on mêlait ces deux
fluides avec une égale quantité d'eau distillée, et
l'on faisait passer cette dilution à travers un filtre
en papier. Tous les vases et instruments employés
avaient été lavés avec grand soin dans une solution concentrée de sublimé corrosif et desséchés
à l'aide d'alcool. Un fluide ainsi préparé contenait
tous les éléments désirés. Il ne s'y trouvait pas
de bactéries, et, étant employé pendant les six
heures qui suivaient la préparation, n'a jamais
produit de trouble local. »

Il ajoute :

« Dans la plupart des cas, l'injection hypoder-
mique a été faite à l'insertion du deltoïde, dans
les cas de sciatique, sur le nerf sciatique. La quantité de fluide injectée a varié d'un quart de drachme
à un drachme. Dès après la première injection,
il y eut un bénéfice évident dans nombre de
cas de prostration ou de faiblesse, musculaire
ou nerveuse, sans maladie organique prononcée.
Mais, dans plusieurs cas d'hémiplégie ou de paralysie, il n'y eut pas d'avantage marqué avant que
l'on eut fait trois ou quatre injections; mais alors
une amélioration devint manifeste.

C'est presque entièrement sur des personnes

intelligentes et ayant reçu une bonne éducation, que l'auteur a opéré.

Dans la première de ces trois classes de cas, il y a eu surtout des individus souffrant d'affections structurales ou de décrépitude, des malades que tout médecin intelligent reconnaîtrait comme ne pouvant recevoir qu'un traitement palliatif. Il y a eu aussi des individus pléthoriques et dont l'affaiblissement ne dépendait que d'excès d'alimentation.

La seconde classe se compose de vingt-sept individus d'âge moyen, ayant des professions libérales ou s'occupant de commerce, ayant l'esprit actif, mais physiquement faibles, sans maladie organique. Tous ont bénéficié des injections immédiatement et d'une manière persistante.

La troisième classe se compose d'individus malades, et qui ont aussi bénéficié de ces injections. L'auteur, qui s'est occupé de l'influence thérapeutique, rapporte les cas divers qui lui ont donné du succès. Pour les physiologistes, il sera évident, d'après les détails qui suivent, que l'opinion que j'ai émise à l'égard de la puissance dynamogénique sur les centres nerveux, du liquide testiculaire injecté sous la peau est considérable. Dans la plupart, sinon dans tous les cas que nous allons mentionner, les centres nerveux étaient affectés.

Je puis dire que si ce liquide a pu, dans de tels cas, avoir tant d'influence, *a fortiori* en aurait-il chez les seuls individus dont je m'étais occupé, les vieillards ne souffrant de rien que de la faiblesse générale qui accompagne la diminution sénile de la sécrétion spermatique.

Voici, en abrégé, les principaux cas rapportés par le Dr Brainerd.

Quatre cas d'hémiplégie, dans deux desquels l'amélioration n'a commencé qu'après la quatrième injection. Trois cas d'ataxie locomotrice dont l'auteur dit : « Ces cas ont fourni plus qu'aucun autre des effets favorables et de plus en plus prononcés (1). Dans l'un de ces cas, le malade, qui ne pouvait marcher qu'avec la plus extrême difficulté, après treize injections pouvait « marcher tout droit, les yeux fermés. »

Il rapporte cinq cas de rhumatisme musculaire et quatre de sciatique, où la douleur et la difficulté de marcher ont diminué notablement ou même disparu complètement par ce mode de traitement.

_____

(1) Le Dr E. Dupuy me dit qu'un médecin français de mérite, qui habite San-Francisco, a guéri un ataxique à l'aide de ces injections. J'ai déjà dit (voyez le numéro d'octobre 1890 des *Archives*, note, p. 744) que dans cinq cas d'ataxie locomotrice, il y a eu, à ma connaissance, une amélioration dans deux cas, et pas d'effet marqué dans deux autres.

Il importe que j'ajoute que plusieurs autres médecins ont aussi obtenu des effets favorables très marqués contre la douleur. Le docteur Suzor a aussi observé ce fait chez ses deux lépreux.

Le docteur Brainerd a constaté une amélioration plus ou moins considérable dans sept cas d'impuissance sexuelle. L'insomnie, due à des causes très variées, a été aussi l'objet d'une notable amélioration. Plusieurs médecins, parmi lesquels le Dr Suzor, ont aussi signalé ce fait. Enfin, dans des cas invétérés d'abus d'opium ou de wisky, l'influence des injections a été assez grande pour faire abandonner ces dangereuses habitudes.

Nous ne savons pas comment a pu agir la liqueur testiculaire dans quelques-uns de ces cas, mais il est clair que l'augmentation de puissance d'action des centres nerveux, et surtout de la moelle épinière, s'est montrée d'une manière éclatante dans le plus grand nombre de ces cas. C'est là le côté physiologique important de ces faits, et c'est ce qui m'a conduit à les mentionner.

IV. — Le Dr Suzor, ainsi que le Dr Brainerd ont constaté que les injections de liqueur testiculaire ont pu donner de la vigueur aux femmes presque aussi bien qu'aux hommes. Le fait n'a rien d'étonnant, la moelle épinière de la femme possédant des propriétés et des fonctions semblables à celle de la moelle de l'homme. L'analogie des effets dynamogéniques de la liqueur testiculaire, injectée sous la peau dans les deux sexes, vient ainsi à l'appui de la conclusion que j'ai tirée de mes expériences personnelles, qui est que c'est surtout sur la moelle épinière que cette liqueur agit.

Le fait que l'injection sous-cutanée d'un liquide qui, incontestablement, est surtout du sperme, moins les animalcules spermatiques (ceux-ci ne passent pas à travers les bons filtres), donne lieu à quelque surprise quand on songe que tous les jours des femmes très affaiblies gardent dans le vagin, après le coït, une quantité de sperme au moins aussi grande, en général, que celle de la liqueur testiculaire que l'on emploie dans une injection après dilution.

Nombre de questions se présentent immédiatement à l'esprit à cet égard. Je n'en mentionnerai que quelques-unes :

1° Les femmes, affaiblies ou non, gagnent-elles en vigueur quelque temps après le coït, lorsqu'il n'est pas trop fréquemment répété?

2° Si le coït n'est pas suivi, chez les femmes, d'une

augmentation très notable de vigueur, comme
c'est le cas après une injection de liqueur testiculaire de mammifère, sous la peau, à quoi est due
la différence entre ces deux faits?

A l'égard de la première de ces questions, je
puis dire, d'après les réponses que j'ai reçues
d'un certain nombre de médecins et de plusieurs
savants très capables de bien observer que chez
les femmes en bonne santé, vigoureuses et d'un
âge peu avancé, ayant des règles normales avec
preuves d'un état sain des ovaires, le coït n'est
suivi d'aucun effet notable d'augmentation des
forces. Au contraire, dans les deux catégories
suivantes de femmes, il y a une augmentation
assez marquée de vigueur après le coït. Dans
l'un de ces groupes se trouvent des femmes jeunes
encore ou n'ayant pas atteint la période critique, mais chez lesquelles les ovaires n'agissent
pas d'une manière normale; dans le second
groupe se trouvent des femmes qui ont passé
l'âge critique. Dans ces deux catégories, le coït,
en général, s'il n'est pas une source d'excitation
très vive et s'il n'est pas trop fréquent, est, en
général, suivi d'un bien-être plus ou moins marqué et d'une augmentation de force, que la femme
soit déjà vigoureuse ou plus ou moins affaiblie.
Dans un mémoire très curieux, le Dr Mattéi a

essayé depuis longtemps déjà (1) de montrer que le coït est suivi, chez la femme, d'une augmentation de vigueur. Il a, je crois, exagéré un peu, et il n'a pas tenu assez compte des circonstances ; mais il a certainement bien montré la puissance spéciale de la liqueur spermatique, dans les deux sexes, comme agent invigorateur.

Pourquoi n'y a-t-il pas d'aussi évidents bons effets à la suite du coït qu'après une injection de liqueur testiculaire de mammifère sous la peau ? La question est à résoudre. Il est possible que le liquide spermatique des mammifères employés jusqu'ici soit plus puissant que le sperme de l'homme ; il est possible que l'absorption se fasse mal par la muqueuse vaginale, ou que cette muqueuse produise une sécrétion altérant la partie fluide du sperme qui peut être absorbée.

Quoi qu'il en soit, les faits qui m'ont servi dans cette discussion établissent, comme tant d'autres, que dans la glande spermatique et dans le liquide qu'elle produit se trouve une substance (ou plusieurs) capable de dynamogénier le système nerveux, et surtout la moelle épinière.

V. — Le Dr Variot, le Dr Villeneuve, le Dr Loo-

(1) *De la résorption de la liqueur séminale ; de son action sur l'homme et sur la femme.* (Brochure, Paris, 1878.)

mis et nombre d'autres médecins ont souvent
éprouvé des échecs après des injections de liqueur
testiculaire. Il va sans dire que nombre de causes
peuvent empêcher l'action dynamogéniante de ce
liquide sur la moelle épinière. Mais il importe de
dire que dans une grande partie des cas, où aucun effet favorable n'a été observé, les injections
n'ont été faites qu'une, deux ou trois fois. Or,
l'étude des faits qui ont donné des résultats très
favorables et même quelquefois le maximum des
bons effets, montre que ce n'est qu'après trois,
quatre ou même cinq ou six injections que ces
effets se sont manifestés. C'est ce qui ressort, en
particulier, du cas si remarquable dont j'ai parlé
tout à l'heure, d'un médecin de Paris, traité par
le Dr Variot, et de plusieurs cas du Dr Brainerd,
ainsi que l'un de ceux du Dr Suzor (voyez ci-dessus, Observ. I).

CONCLUSION. — En présence des faits que j'ai
exposés précédemment et de ceux qui sont
rapportés dans la seconde partie de ce travail
il est clair qu'il faut admettre que l'injection
sous-cutanée d'un liquide retiré du testicule
parfaitement frais d'un cobaye, d'un chien, d'un
lapin ou d'un mouton, chez un homme ou
chez une femme, débilité par maladie ou par séné-

lité, agit souvent en augmentant notablement la
puissance d'action du système nerveux, et surtout celle de la moelle épinière. Il est clair aussi
qu'il s'agit là d'une augmentation de force, d'une
dynamogénie, et non du simple effet d'une excitation, c'est-à-dire une mise en jeu de puissance.

---

*Nouveaux faits relatifs à l'influence sur les centres ner-
veux de l'homme d'un liquide extrait de testicules
d'animaux, par M. Brown-Séquard.*

Dans diverses parties du monde, les faits se
multiplient, donnant non seulement raison à tout
ce que je croyais à l'égard des heureux effets
qu'on peut retirer d'injections de ce que j'ai appelé liquide testiculaire ou spermatique, mais
allant beaucoup plus loin que ce que j'avais osé
espérer, car nombre d'entre eux montrent que ce
liquide possède des puissances bien plus grandes
et bien plus variées que je n'avais supposé. Je
suis malheureusement obligé — dans un journal
comme celui-ci (1) — à me borner à mentionner
brièvement quelques-uns seulement de ces faits.

(1) *Archives de physiologie.*

13.

I. — Voici d'abord des faits déjà anciens, mais dont je n'ai eu connaissance que le 15 avril dernier, par une lettre du Dʳ A. Szikszay, un médecin distingué de Budapest. Ce praticien a fait, l'an dernier, les expériences suivantes sur deux forçats :

OBSERVATION I

Un forçat infirme, de soixante-quinze ans, avait passé le tiers de sa vie en prison. Durant sa présente détention, qui date de trois ans, il s'est plaint d'avoir dans les jambes des douleurs qui s'aggravaient lorsque le temps était mauvais ; il ne peut marcher sans bâton ; il ne le fait qu'avec difficulté, même avec cette assistance ; son échine se courbe, et il est presque toujours couché ; il mange peu et sa digestion est irrégulière. On lui a fait la première injection le 27 juillet, une autre le 29 et la troisième le 31. Après la seconde injection, il a jeté son bâton ; il marche droit et avec assurance sans aucune assistance, sentant ses membres ravivés ; son appétit est devenu si grand que la ration ordinaire ne lui suffit plus.

OBSERVATION II

L'autre forçat, âgé de soixante ans, est affaibli par des maladies chroniques ; il n'a pas pu marcher depuis longtemps, il se tient d'ordinaire assis dans le jardin de la prison. La première injection fut faite le 29 juillet, et aussitôt le malade sentit ses pieds se raffermir. Après la deuxième injection, le 31 juillet, il a pu marcher, sans être obligé de s'arrêter, de sept heures du matin à midi. Il n'éprouvait pas de fatigue ; son appétit s'était de beaucoup amélioré ; ses traits exprimaient plus de vivacité.

M. Szikszay m'écrit que depuis le mois d'août 1889 il a fait encore de nombreuses expériences, confirmant en tout les résultats que j'ai signalés, et il se propose de publier ces nouveaux faits.

II. — Un médecin français, ancien interne des hôpitaux, M. le Dr Crivelli, qui pratique à Melbourne (Australie), a fait de nombreux essais dont les résultats ont été ou nuls, ou passagers ou durables (1). Tous les individus soumis aux injections étaient extrêmement affaiblis par des causes diverses : âge, maladies, excès, fatigues. Parmi les faits intéressants que contient cet excellent mémoire (voyez *Australian médical Journal*, march 1890), je rapporterai les suivants : 1. Homme, soixante-sept ans, devint capable, après les injections, de travailler et de supporter la fatigue d'une manière qui l'a vivement

(1) Il est extrêmement regrettable que l'auteur n'ait fait qu'un nombre insuffisant d'injections (plusieurs, dit-il, et quelques fois seulement deux) et qu'il y ait eu un intervalle de cinq à six jours entre les injections. Ces deux particularités expliquent qu'il n'ait obtenu aucun effet favorable chez la moitié des individus (dix cas) sur lesquels il a opéré, et qu'il n'y ait pas eu d'effets persistants dans plus de trois cas sur dix. Pour obtenir la continuation des augmentations de puissance que j'ai obtenues sur moi-même, il m'a fallu faire dix injections du 15 mai au 4 juin, l'an dernier. L'intensité de ces effets favorables a commencé à diminuer à partir du 3 juillet (un mois après la dernière injection), il n'en restait guère qu'une faible portion (à part la puissance du rectum) au bout de cinq à six semaines après le 4 juin.

étonné. Ces effets ont duré une quinzaine de jours. — 2. Homme, soixante-deux ans, même résultat que pour le précédent, durant une semaine après l'injection. — 3. Homme, cinquante-six ans, amélioration extraordinaire, qui ne dura que trois jours. — 4. Homme, trente-cinq ans, puissance musculaire augmentée, resta bien et vigoureux pendant plus d'un mois. — 5. Homme, trente-quatre ans, très fort pendant quatre jours, après lesquels il déclina graduellement. — 6. Homme, vingt-deux ans, guéri pendant quinze jours de pertes séminales nocturnes et diurnes et se sentit vigoureux. — 7. Homme, vingt-neuf ans, épuisé par masturbation persistante, et par émissions séminales, retour de force musculaire, état moral très satisfaisant, grande amélioration de tous les symptômes morbides, mais seulement pour un peu plus de trois semaines.

Ces cas sont très importants à plusieurs égards, mais surtout parce qu'ils nous donnent la durée des bons effets, qui a varié de quatre jours à plus d'un mois après un petit nombre d'injections. Dans trois autres les résultats favorables ont persisté beaucoup plus longtemps. Les voici :

I. — Homme, soixante-cinq ans, s'est senti physiquement et mentalement fort et énergique. Dix

semaines après la dernière injection, il se sentait
mieux que jamais, et il est parti pour la campagne.

II. — Homme, trente-quatre ans, très épuisé,
avait eu constamment et péniblement à lutter pour
vivre, et cela dans un climat très chaud ; était arrivé
à vouloir se tuer. Immédiatement après les injections, il s'est senti fort et vigoureux ; il s'est débarrassé de ses sentiments morbides, et a entrepris
une nouvelle occupation qu'il poursuit avec une
grande énergie, et les bons effets des injections
continuent depuis cinq mois.

Le troisième cas est le plus remarquable. Le
malade, âgé de quarante-quatre ans, après avoir
abusé de liqueurs alcooliques, devint morphino-
mane. Lorsqu'on suspendait l'emploi graduellement
de la morphine, les symptômes les plus dangereux
se manifestaient. Sa condition, au moment du traitement, était des plus pénibles : perte complète
du sommeil, de l'appétit et de la puissance musculaire. Il avait perdu considérablement de son poids ;
ses facultés mentales étaient diminuées ainsi que
sa mémoire. Il reçut de septembre à novembre huit
injections (1). Le résultat fut le même après chaque

(1) Ce nombre d'injections était assurément insuffisant,
et l'amélioration aurait progressé bien plus rapidement
s'il en avait été fait deux ou trois fois autant.

injection, mais la période d'amélioration, à chaque fois, devint plus longue. Depuis la dernière injection, en novembre, il a continué à s'améliorer ; sa mémoire est devenue bonne et son esprit lucide. Il a gagné en poids, se sent fort et peut s'occuper d'affaires. C'est pour lui une rénovation complète.

Ce dernier cas, si décisif, n'a pas besoin de commentaires. Quant aux faits relatifs aux pertes séminales, j'en connais un semblable, le malade étant un médecin, qui s'est guéri par des injections fréquentes. On trouvera ci-après un autre fait semblable. (Observation III du Dr Mora, p. 156.)

Toutes ou presque toutes les expériences du Dr Crivelli ont été faites avec un liquide retiré des testicules de cobayes.

III. — Le Dr Labarrière, de Paris, me communique le cas d'un malade, âgé de quarante-neuf ans, atteint d'hypocondrie et arrivé à un état d'extrême neurasthémie. Son poids était tombé de soixante-douze kilogrammes et demi à quarante-huit kilogrammes. Son alimentation était devenue presque impossible ; il avait des lipothymies ; son pouls était à cinquante-six, bien qu'il n'eût pas d'affection organique, mais son état était grave. Tous les traitements ayant échoué, le Dr Labarrière, sur les conseils du Dr Rémy, professeur

agrégé à la Faculté de médecine, lui a fait, du
10 au 30 avril dernier, neuf injections sous-cutanées de liquide testiculaire, et il a, de cette manière, obtenu la guérison.

IV. — Un autre médecin de Paris, le Dr Mora,
a fait l'emploi de ces injections sur un certain
nombre de malades. Voici ce qu'il y a d'essentiel
dans les observations qu'il m'a communiquées :

OBSERVATION I

M. E..., soixante-douze ans, grande faiblesse, nutrition très languissante ; peut à peine se tenir debout, et
encore moins marcher; passe jour et nuit dans un fauteuil ou au lit; constipation opiniâtre. Après divers
traitements sans succès, douze injections sous-cutanées
furent faites en quatorze jours. A la troisième, un mieux
marqué s'est manifesté dans l'état général du malade;
les facultés intellectuelles et l'énergie musculaire ga-
gnèrent en activité. Cinq semaines après la première
injection, le malade put faire à pied trois kilomètres.

OBSERVATION II

M. Th..., soixante-cinq ans, extrême débilité depuis
vingt-cinq ans. Névralgies, dyspepsie, palpitations,
mais pas d'affection organique. Après divers modes d
traitement, injections sous-cutanées de liquide testiculaire tous les deux jours pendant un mois et demi. Il a
pu reprendre ses occupations de ermier; les palpitations ont disparu ; il mange bien et son énergie s'accroît
de jour en jour.

OBSERVATION III

M. L..., soixante ans, ébéniste, toux extrêmement pénible; insomnies, pertes séminales; grand affaiblissement. A la cinquième injection, les pertes de quotidiennes devinrent bi-hebdomadaires, et elles disparurent après un mois de ce traitement. L'état général s'est modifié, et le malade a pu reprendre ses occupations un mois et demi après la première injection.

OBSERVATION IV

M. L...., quatre-vingt-deux ans, ne peut plus se promener, les jambes refusant tout service; appétit presque nul; constipation opiniâtre. En outre d'un traitement approprié, 22 injections en trois semaines, sa marche devient facile, la constipation cesse et le malade mange mieux.

Des effets du suc testiculaire humain.

V. — Le Dr Gley me communique le fait extrêmement intéressant que voici : Un de ses amis, jeune médecin de Paris, a eu l'idée de se servir de son propre sperme en injections sous-cutanées. La femme de ce médecin, à la suite de plusieurs hémoptysies, était tombée dans un état d'excessive faiblesse et de dépression, nécessitant le séjour au lit et mettant la malade dans l'impossibilité de converser autrement que par quelques mots et à voix basse. Ces phénomènes ont disparu quelques heures après l'injection, et la vigueur est revenue à tel point qu'elle a pu, le lendemain et le sur-

lendemain, supporter la fatigue de plusieurs journées consécutives en excursions, à la campagne
et en visites prolongées à l'Exposition. En outre,
elle a éprouvé une bien plus grande facilité à res-
pirer. A quatre reprises, en quatre ou cinq mois,
il a fallu faire une nouvelle injection qui a, dans
ces divers cas, produit des effets tout aussi favorables. Le sperme a été injecté sans dilution, et
bien qu'il fut très épais, l'issue par la mince canule de la seringue de Pravaz s'est faite, malgré
quelque difficulté. La quantité employée chaque
fois a été d'un centimètre cube. Les deux premières injections ont été douloureuses et ont produit une rougeur excessive et un léger gonflement
du tégument pendant près de quatre heures. La
cuisse, à l'endroit de la piqûre, était hyperesthésiée, et la jambe était alourdie. Au bout de
cinq heures, il n'est resté de tous les phénomènes
locaux qu'un peu d'induration qui a disparu après
trente-six ou quarante-huit heures.

Le sperme dans l'acte du coït a été recueilli
dans un préservatif en baudruche aseptisé. Aussitôt
après l'émission, la capote était plongée dans un
bol contenant de l'eau assez chaude, et l'on a pu
ainsi aspirer le sperme et remplir la seringue très
rapidement, de manière à pouvoir faire l'injection
une minute après l'émission du sperme.

14

Je ne sais si l'auteur de ce procédé trouvera des imitateurs. J'en doute fort à cause de la coagulation fréquente du sperme empêchant son passage par la canule d'une seringue de Pravaz.

De plus, ainsi que je l'ai montré (voyez p. 742, numéro d'octobre 1890 des *Archives de Physiologie*), les animalcules spermatiques ne sont pas la partie active dans les injections faites par mon premier procédé, et ces animalcules peuvent manquer dans le sperme humain sans qu'il y ait diminution de liqueur spermatique, de puissance sexuelle, ou de vigueur physique ou morale. Cependant il est possible que les animalcules se dissolvent dans le tissu cellulaire sous-cutané et contribuent alors aux influences dynamogéniques que le liquide testiculaire exerce sur les centres nerveux. Nous ne pouvons pas décider cette question ni celle de savoir si la liqueur spermatique humaine est supérieure, pour l'homme, au liquide que nous extrayons de testicules de mammifères. A l'égard de ces deux questions, nous savons, dès à présent cependant, que les injections sous-cutanées d'un liquide privé par filtration de ses spermatozoïdes, après avoir été extrait de testicules de mouton, de chien, de singe, de lapin ou de cobaye, a produit des effets favorables tout aussi considérables que ceux observés par notre confrère sur sa femme. Il n'y a

donc pas de raison pour se servir plutôt de sperme
humain que d'un suc extrait de testicules d'animaux, excepté que plusieurs femmes pourraient
avoir une répugnance invincible contre ce dernier
liquide, tandis qu'elles accepteraient une injection
de liqueur séminale de leur mari. Mais sans répéter
la méthode qui a été employée avec tant de succès
sur sa femme par un de nos confrères, je dois dire
qu'il faudrait bien s'assurer par de nombreuses
expériences sur des animaux, que des injections
sous-cutanées de sperme, non dilué, sont absolument sans danger.

VI.—Dans le précédent numéro, je n'ai pu que
signaler très brièvement (p. 128 et suivantes) les
faits rapportés dans une dernière lettre de M. Suzor,
que je venais de recevoir. Cette lettre contient
l'histoire complète de dix cas d'affections diverses
traitées par des injections de liquide testiculaire.
Je me bornerai à donner ici l'observation abrégée
de trois nouveaux cas de lèpre, qui portent à cinq
les faits de cette espèce observés par M. Suzor.

OBSERVATION I

Jeune homme, lèpre à forme tuberculeuse. Dès les
premières injections, il éprouve une grande augmentation de force. Il fait plusieurs milles à pied. Malgré la
chaleur de l'été (entre les tropiques), il a pu faire son

travail d'ouvrier, grâce, affirme-t-il à ces injections. Les
poils ont repoussé dans les parties où ils étaient tombés depuis très longtemps.

OBSERVATION II

Homme, quarante ans, lèpre à forme nerveuse, atro-
phique ; très affaibli ; ne peut plus travailler ; marche
avec peine ; ses doigts contracturés sont fortement re-
courbés dans la paume de la main. Au bout de trois
injections ils se sent plus fort, peut marcher davantage
et sans essoufflement ; il peut redresser légèrement ses
doigts. Faute d'animaux on n'a pu continuer les injections.

OBSERVATION III

Jeune homme, lèpre tuberculeuse, sans ulcères ; face
extrêmement tuméfiée, anéantissement des forces ;
yeux très enflammés ; photophobie intense ; douleurs
très vives dans les membres ; ne pouvait monter et descendre d'une carriole qu'avec l'aide du cocher. Quatre
jours après la première injection, il descend de sa carriole
sans aucune assistance ; la photophobie a disparu ; douleurs des membres très diminuées. Elles disparaissent
après une seconde injection. Le gonflement de la face
est bien moindre après une douzaine d'injections.

Le fait du retour des poils a été observé non seulement chez le premier de ces deux malades mais aussi
chez l'un des deux lépreux dont j'ai donné l'histoire,
d'après M. Suzor, (p. 128).

Le Dr Brainerd et d'autres médecins américains ont
quelquefois employé avec succès les injections de suc
testiculaire contre le rhumatisme. A cet égard, le fait
suivant du Dr Suzor est extrêmement remarquable.

OBSERVATION IV

Jeune homme de trente ans, confiné au lit par du rhumathisme noueux, obligé de rester sur le dos depuis plusieurs mois, ankylosé. Au bout de deux ou trois injections, il peut se retourner dans son lit et se mettre à volonté sur l'un ou l'autre côté. Il peut plier la jambe droite jusqu'à mettre la plante du pied à plat sur le lit.

VII. — J'ai annoncé déjà que, pour beaucoup de raisons et d'après des essais faits sur des animaux, je suis arrivé à préférer l'emploi d'injections intra-rectales aux injections sous-cutanées du suc testiculaire. Il n'est pas douteux que le nouveau procédé est bien moins puissant que l'ancien, mais on peut néanmoins arriver à retirer presque autant de bons effets de l'emploi intra-rectal que de l'autre, en multipliant les injections, c'est-à-dire en en faisant trois, quatre ou cinq par semaine, sans s'arrêter, et indéfiniment. Je connais le cas d'un médecin très âgé (soixante-douze ans), qui, en décembre dernier, après trois mois et demi de maladie, était arrivé à un état d'excessive faiblesse et en a été tiré malgré la persistance de l'une de ses maladies (coqueluche violente), par l'emploi d'injections intra-rectales, deux ou trois fois par semaine. Il faisait usage du suc extrait de deux testicules de cobayes de trois à quatre ou même cinq mois, dilué dans 30 ou 40 grammes d'eau.

Par ce procédé, ainsi que je l'ai dit en avril dernier (p. 455), on évite absolument tous les risques des injections sous-cutanées. Je ne puis pas dire cependant qu'une injection intra-rectale très riche en sperme ne pourrait pas produire une inflammation du rectum. Je sais, au contraire, que deux médecins se traitant par ce procédé ont eu d'assez vives douleurs et expulsé des glaires pendant un ou deux jours après une injection. Mais la dilution était insuffisante dans ces deux cas. Je conseille maintenant que la quantité d'eau ajoutée au suc extrait des glandes spermatiques et des parties en continuité avec elles soit toujours de 40 ou de 45 grammes. L'un de ces médecins, qui continue à se servir de ce procédé, n'a pas eu de douleur rectale depuis plusieurs mois.

On sait que, chez les cobayes, les glandes séminales sont énormes et qu'elles contiennent, avec un peu de sperme, une quantité très considérable d'un mucus particulier. Depuis plus de deux mois le médecin dont il vient d'être question emploie le contenu des vésicules avec le liquide testiculaire, et il a tout lieu de croire que les effets produits sont devenus plus marqués.

Je m'étais assuré que le contenu de ces glandes

du cobaye pouvait être injecté, sans aucun danger, sous la peau, chez des chiens, des lapins et des cobayes.

Les injections intra-rectales du liquide testiculaire ont maintenant été faites sur nombre de malades par eux-mêmes ou par plusieurs médecins, et, entre autres, par les Drs Variot, de Paris, et Frémy et Ciaudot, de Nice. Parmi les cas que je connais, il en est deux qu'il importe de mentionner.

Le lépreux (1) dont j'ai parlé déjà (*Archives*, d'avril, p. 128), et qui est soigné par le Dr Frémy, a continué de s'améliorer. L'autre cas est celui d'un savant éminent, qui a fait ses injections sous la direction de son ami, M. d'Arsonval. Les effets produits chez ce dernier malade, qui était atteint d'anémie de la moelle épinière et du cerveau, ont été extrêmement remarquables. Depuis l'Exposition, où il avait eu beaucoup trop de travail, il était extrêmement fatigué moralement et physiquement. Il était, en outre, atteint d'accès quotidiens d'incontinence d'urine et fréquemment d'accès de frissons. Dès après la première injection et depuis lors l'incontinence d'urine

---

(1) Je crois devoir faire remarquer que tous les lépreux qui ont été soumis aux injections du liquide testiculaire en ont reçu le plus grand bénéfice. Il en est ainsi des cinq traités par M. Suzor et de celui du Dr Frémy.

et les frissons n'ont plus eu lieu. La fatigue a
disparu et la faculté de travail est revenue. Le
malade n'a eu que deux injections intra-rectales
de suc provenant de cobayes, chaque semaine.
Il importe d'ajouter qu'en se soumettant au traitement, il avait la conviction qu'il n'en obtiendrait aucun bon effet, et que son seul motif était
de satisfaire M. d'Arsonval. L'auto-suggestion,
chez lui, était donc hors de cause.

VIII. — Je ne crois pas nécessaire de montrer
que, dans les cas très divers que j'ai rapportés,
le liquide employé d'après l'une quelconque des
trois méthodes signalées (injection de sperme
humain sous la peau, injection d'une dilution de
suc extrait de testicules d'animaux, soit dans le
rectum, soit dans le tissu cellulaire sous-cutané),
il y a eu une dynamogénie très considérable de la
moelle épinière et du cerveau. Ces liquides spermatiques ne sont pas des excitants des centres
nerveux, mais des dynamogéniants. Au point de
vue physiologique, les effets dus aux substances
résorbées, après avoir été sécrétées par les testicules, chez l'homme adulte en santé, peuvent
aussi se montrer sous l'influence des injections
spermatiques ou de suc extrait des testicules.

Mais par suite sans doute de l'entrée dans le

sang d'une bien plus grande quantité de ces substances que par résorption, les injections produisent des effets bien plus considérables que
ceux qui suivent cette résorption. De plus, comme
je l'ai dit souvent, les hommes recevant de ces
injections et dont les testicules sont inactifs
acquièrent un retour d'activité dans ces organes,
ce qui fait qu'aux substances dynamogéniantes
entrant dans le sang par injection s'ajoute bientôt,
par résorption, dans les glandes spermatiques
et les conduits éjaculateurs, une certaine quantité des mêmes substances formées dans l'acte
de la sécrétion spermatique.

C'est en raison de l'existence de ces deux causes
que les injections de liquide testiculaire produisent les effets favorables que nous avon signalés.

OBSERVATIONS NOUVELLES

I. — Dans le numéro de janvier dernier des
Archives, j'ai rapporté des faits extrêmement
intéressants du Dr Suzor. Il m'écrit que ses
deux lépreux et la malade qui était atteinte de
cachexie paludéenne, continuent (deux mois après
le traitement) à jouir d'une santé relativement
excellente. Chez deux autres lépreux qu'il a traités
de la même manière que les premiers, il a obtenu

les mêmes effets favorables. La respiration s'est
améliorée, la vue aussi, grâce à la disparition
des rougeurs et des douleurs qui existaient aux
yeux; les douleurs et la faiblesse des membres
ont disparu; l'appétit et l'activité mentale sont
excellents.

Le Dr Suzor a employé le même traitement dans
plusieurs cas de faiblesse par d'autres causes.
Voici deux des cas qu'il me rapporte :

OBSERVATION I

Une vieille dame de soixante-douze ans, alitée depuis
huit mois, extrêmement débilitée, incapable même de
s'asseoir sur son lit sans assistance, marche aujour-
d'hui, après 5 injections, parcourt toute sa maison sans
avoir à s'appuyer sur quoi que ce soit. Sa main soulève
facilement un poids de 18 livres. De fortes douleurs
qu'elle avait aux jambes et qui l'empêchaient de marcher ont disparu.

OBSERVATION II

Une jeune fille atteinte de dyspepsie nerveuse depuis
deux mois vomissait tous les aliments qu'elle prenait.
Elle avait beaucoup maigri et pouvait à peine marcher
tant elle était faible. Les divers modes de traitement
ordinaires ayant échoué on lui fit trois injections, après
lesquelles les forces reparurent, l'appétit revint et la
malade recouvra la santé.

II. — Je dois à mon savant ami le Dr Tholozan
la communication d'une lettre d'un malade traité
pour cachexie paludéenne par le Dr Laurent, l'un

des médecins nommés par le D\(^r\) Suzor comme
s'occupant d'injections de liquide testiculaire.
C'est un cas très remarquable. Voici ce que dit le
malade après avoir déclaré qu'il était si faible qu'on
croyait qu'il allait mourir, lorsqu'une injection lui
a été faite avec un liquide obtenu de testicules de
singe (cette espèce d'animal abonde à l'île Maurice,
où se trouve ce malade) :

« Le lendemain matin j'étais transformé : à une
faiblesse au dernier degré qui ne me permettait pas
de me lever ni même de prendre un verre pour
boire, sans être aidé, a succédé une vitalité inat-
tendue, mes paupières ont fonctionné...., enfin
votre vieil ami a pu se lever seul et est redevenu
capable de converser activement comme à l'état
normal. Après une deuxième injection « les bons
effets continuèrent, et à tel point que j'ai pu dicter
onze lettres pour le courrier d'Europe. »

Après avoir eu des injections de liquide testiculaire de cobaye et encore de singe, il s'est trouvé
si bien qu'il écrit :

« A ce moment je suis complètement remis, et
plus fort qu'il y a trois ans. »

III. — Je donnerai dans le prochain numéro des
Archives l'histoire complète d'un lépreux qui a été
soigné par mon ami Charcot, par le D\(^r\) Aug. Olli-
vier, et vu par un grand nombre de médecins de

Paris, et en particulier par le professeur Hardy et le docteur Besnier. Ce malade, qui m'a été amené par mon ami le Dr Frémy, de Nice, est maintenant soigné par lui, sous ma direction, à l'aide d'injections dans le rectum, de liquide testiculaire obtenu de jeunes cobayes commençant à pouvoir pratiquer le coït. Les résultats obtenus depuis le 4 mars, jour de la première injection jusqu'aujourd'hui le 29 (après six injections), sont les suivants : ulcères continuant à se cicatriser graduellement ; retour de la puissance sexuelle, perdue depuis longtemps ; possibilité de prendre une fourchette ou un couteau et de s'en servir, ce qui n'avait pas eu lieu depuis un temps extrêmement long ; la main droite, qui ne pouvait mouvoir que 10 kilos au dynamomètre, peut maintenant en mouvoir 19 ; marche améliorée d'une manière très notable ; puissance de retenir l'urine recouvrée et évacuation d'urine avec une force considérable ; cessation complète de soubresauts nocturnes et d'accès de fièvre quotidiens (à dater du jour même de la première injection).

Je ne ferai pas d'autres remarques sur ces divers effets favorables, excepté à l'égard de la cessation de la fièvre. L'influence exercée pas le liquide testiculaire chez la malade du Dr Suzor (*Archives*, janvier 1890, p. 203), sur le malade

dont j'ai parlé tout à l'heure et qui a écrit la lettre
dont j'ai donné des fragments, et sur le malade
du Dr Frémy a été incontestablement très grande,
soit chez les deux premiers malades, contre les
effets de la terrible fièvre paludéenne qui désole
l'île Maurice, soit contre la fièvre elle-même chez
le dernier malade. Le rôle bien connu que joue la
moelle épinière dans la fièvre intermittente nous
fait comprendre comment le liquide testiculaire a
pu agir ainsi qu'il l'a fait dans ce cas.

IV. — Il importe de faire remarquer que chez le
malade de M. Frémy c'est dans le rectum que
l'injection a été faite. J'ai dit en post-scriptum
dans le précédent numéro des *Archives* (p. 208),
que j'avais fait quelques essais de la liqueur testiculaire injectée dans le rectum, et que j'avais
trouvé qu'elle produisait alors la même espèce
d'effets dynamogéniques que lorsqu'on l'injecte
sous la peau, mais que ces effets étaient certainement moindres. Des essais assez nombreux ont
été faits par plusieurs médecins sur eux-mêmes ou
sur des malades, et les résultats obtenus ont con-
firmé ce que j'avais observé sur moi-même. Ce qui
a été constaté par le Dr Frémy et moi-même chez
le lépreux dont j'ai parlé tout à l'heure est exceptionnel, les bons effets du traitement par le rectum

15

ayant été, dans tous les cas, moindres que chez
ce malade.

Mais si l'on considère d'une part la difficulté
relative des préparations pour l'injection sous-
cutanée, et d'une autre part l'absence de dangers
de la première opération comparée à la seconde,
il y a lieu de croire que beaucoup de personnes
préféreront l'emploi de l'injection intra-rectale
à l'autre. Il importe conséquemment que je
dise comment on doit opérer dans le cas de
l'introduction du liquide testiculaire dans le rectum.

On tue d'abord l'animal choisi (je préfère le
cobaye jeune, mais capable de coïter) ; on lui enlève
les testicules avec le cordon spermatique et le
canal éjaculateur ; on lave toutes ces parties dans
de l'eau distillée, puis, après avoir coupé en très
petits morceaux la masse testiculaire et les autres
parties que j'ai nommées, on les écrase dans un
mortier. On ajoute alors de l'eau et l'on jette tout
le contenu du mortier (liquide et solide) dans un
linge enfoncé dans un verre. Enfin on fait sortir
par compression toute la liqueur que peut donner
la masse solide, entourée de linge.

Il importe que tout cela se fasse promptement
et que l'injection soit faite avec du liquide frais.
Deux testicules au moins doivent être employés

pour chaque injection, et la quantité d'eau no doit
pas dépasser la moitié d'un verre à vin.

Les injections doivent être répétées tous les
deux ou trois jours. Je n'ai pas besoin de dire qu'il
faut que le rectum les garde. L'absorption est
prompte : je me suis assuré qu'elle est faite en
moins d'une demi-heure.

CONCLUSION. — Les faits rapportés dans ce
travail, de même que ceux que j'ai mentionnés
dans mes communications précédentes, démontrent que le liquide testiculaire, injecté sous la
peau ou dans l'intestin, augmente considérablement la puissance d'action des centres nerveux,
et spécialement celle de la moelle épinière. Il est
clair aussi, comme je l'ai souvent dit déjà, qu'il
s'agit bien là d'une augmentation de force, d'une
dynamogénie, et non du simple effet d'une excitation, c'est-à-dire une mise en jeu de puissance.

———————

*Remarques sur les effets produits sur la femme par des
injections sous-cutanées d'un liquide retiré d'ovaires
d'animaux, par M. Brown-Sequard.*

Dans ma première communication à la Société
de Biologie, en juin 1889, j'avais dit qu'il y avait
tout lieu de croire que les ovaires d'animaux

pourraient donner un suc, agissant sur la femme, comme le liquide testiculaire agit sur l'homme. Je sais qu'une sage-femme de Paris a fait avec profit, sur elle-même, des injections d'un liquide retiré d'ovaires de cobayes. C'est tout ce que j'ai la liberté de dire à l'égard de ce fait. Mais le premier travail publié à ce sujet est dû au Dr Villeneuve, professeur à l'Ecole de médecine de Marseille (voyez : *Marseille médical*, 30 août 1889, p. 458 et suiv.). Le 11 juillet dernier, il fit une injection de suc ovarien de cobaye sur trois individus : deux femmes et un homme. Je laisse de côté le fait relatif à l'homme, chez lequel il n'y eut pas d'autres effets qu'une augmentation des forces et une amélioration de l'appétit, tandis qu'il y eut chez le même individu d'autres bons effets à la suite d'injections d'un liquide extrait des testicules de deux chiens. Quant aux deux femmes, l'une d'elles n'eut aucun profit d'une première injection et refusa de s'en laisser faire d'autres. Le cas de la seconde femme est remarquable; le voici presque intégralement :

OBSERVATION I

Femme, vingt-huit ans, salpingo-ovarite double. Hystérique. La paratomie le 28 mai, ablation des deux trombes et des deux ovaires. — 11 juillet. Dynamomètre à droite et à gauche: 15 kilogs. Première injection.

Ovaire de cobaye. La malade se trouve mieux et est très satisfaite surtout de voir cesser une constipation opiniâtre qui la tourmentait. Elle demande une nouvelle injection. — 24 juillet, deuxième injection. Ovaire de cobaye. Le mieux s'accentue et la malade est très satisfaite. On note les particularités suivantes: la malade, très hystérique, a eu trois crises convulsives pendant le mois de juin, c'est-à-dire entre l'opératian et la première injection. Depuis lors (du 11 juille, au 10 août), elle n'en a eu aucune. — 30 juillet. Dynamomètre à droite 18, à gauche 16. — 10 août. La malade qui a quitté l'hôpital, y revient pour solliciter une nouvelle injection, qui lui est refusée.

Une dame américaine, docteur en médecine de la Faculté de Paris, Mme M.-Augusta Brown, a pris en main, avec un grand courage, l'étude des effets des injections sous-cutanées de liquide retiré d'ovaires d'animaux. Elle a fait des recherches sur un grand nombre de femmes. Les résultats qu'elle a obtenus sont extrêmement intéressants.

Elle s'est servie d'ovaires de lapines, presque aussitôt après avoir retiré ces organes de l'abdomen d'animaux vivants. Elle a suivi pour les ovaires les mêmes règles que j'ai données pour les testicules. Elle a fait usage quelquefois du filtre Pasteur, d'autrefois d'un simple filtre à papier. Les injections ont été faites sous la peau du thorax ou de l'abdomen. Les instruments ou les vases employés avaient été soumis aux procédés antiseptiques ordinaires.

M⁰ Brown a traité plus d'une douzaine de femmes atteintes de débilité extrême, causée par l'âge, par des insomnies, par l'hystérie, par des affections utérines, etc. Elle a constaté chez toutes un gain considérable de force, et, suivant le cas, pour les autres le retour du sommeil, la cessation d'accès d'hystérie ou de palpitations du cœur, une amélioration de la digestion et de la nutrition.

Dans un cas très remarquable d'une vieille dame qui avait perdu une très belle voix qu'elle avait eue pour le chant, les injections du liquide ovarien ont fait revenir cette puissance du larynx.

Mme Brown a souvent constaté que les bons effets des injections du suc ovarien n'ont été évidents qu'après la sixième ou la septième.

Cela nous explique comment le Dr Mairet a échoué dans l'essai unique qu'il a fait.

Mme Brown, dans un cas où une malade refusait de se laisser faire des injections, a tenté de faire pénétrer dans le sang les principes actifs du suc ovarique en appliquant celui-ci sur le derme mis à nu par une vésication. Les résultats obtenus ont été tout aussi favorables que ceux des injections. Dans un cas de prolapsus utérin elle a

fait des applications de suc ovarique dans l'uté-
rus, et les résultats ont été favorables aussi.

D'après les détails des faits que m'a communi-
qués cette dame, il est évident que le suc ovarique agit comme le suc testiculaire, mais avec
moins de puissance. Il est évident aussi que c'est
par une influence dynamogénique exercée sur les
centres nerveux que le liquide retiré des ovaires
d'animaux agit sur la femme.

Les faits déjà très nombreux et qui sans cesse
s'accumulent, montrent que c'est le suc testiculaire qui devrait toujours être employé comme
agent dynamogénique chez la femme comme chez
l'homme.

CHAPITRE II

Communication du Dr Mucio Moycat au journal La Médecine scientifique *à Mexico.*

INJECTIONS BROWN-SÉQUARD

20 décembre 1889.

Messieurs les Rédacteurs de la Médecine scientifique.

Estimés Collègues,

J'ai le plaisir de vous remettre le résumé succinct des observations que j'ai recueillies depuis que je me suis appliqué à l'étude du *rajeunissement* (mois de juillet), jusqu'à cette date et dont j'ai parlé déjà aux élèves de l'École nationale d'Agriculture et de Vétérinaire. Le nombre total des observations recueillies, jusqu'à ce jour, s'élève à 350 que je me propose de diviser en deux groupes pour plus de clarté. Le premier qui comprend les cas physiologiques, et le deuxième, les cas pathologiques; c'est-à-dire, le premier groupe, les cas de vieil-

lesse naturelle ou prématurée; le second, toutes les
maladies traitées par les injections dynamogéniantes étudiées comme médicament.

Avant d'entrer en matière, je dois déclarer que si je
donne le nom de quelques personnes, en indiquant leur
domicile, c'est parce que j'y suis expressément autorisé,
par ces mêmes personnes. Pour la plus grande partie
je donnerai seulement le numéro d'ordre correspon-
dant à mes notes d'observation. L'indication des noms
qui correspond à chacun des numéros est absolument
réservée et c'est l'unique chose que je ne puisse mettre
à la disposition des personnes qui désirent obtenir de
plus amples informations sur les résultats obtenus par
l'emploi de la méthode inventée par l'illustre savant
Brown-Séquard.

PREMIER GROUPE

Le groupe physiologique est suffisamment étendu,
car il comprend 29 cas. Sur ce nombre, je ne parlerai
que de quelques-uns, leur histoire étant à peu près semblable à tous. Le public connaît déjà les premiers cas
observés, celui de M. Douls, par exemple qui, âgé de
soixante-dix-sept ans, était triste, faible, l'ouïe presque
perdue, la digestion difficile puisqu'il ne pouvait plus
dîner, et la vue excessivement débilitée; il a changé
complètement, car de triste il est devenu gai, de faible,
fort; il entend parfaitement le tic-tac de sa montre et
ce qui est à noter plus particulièrement, ses digestions
se sont régularisées, sa vue s'est améliorée à ce point
qu'il peut lire couramment et sans lunettes un journal
imprimé en caractères ordinaires.

Pour arriver à cet état, qu'il conserve actuellement,
nous avons cru opportun d'observer que: sous l'influence des injections l'état physiologique de cet indi-

vidu, avant la première injection, s'est modifié, ainsi que le démontrent les observations suivantes :

Lorsqu'il s'est présenté, le 22 août, son abattement était tellement accentué que je recueillis seulement 45 pulsations par minute, c'est-à-dire, relativement à sa fréquence bien au-dessous du chiffre normal des pulsations des vieillards; sa vue moyenne ne distinguait que des caractères de 4 millimètres et demi (0ᵐ,0045); sa force relevée au moyen du dynamomètre n'était que de 16 livres ; sa température de 35,8 ; son poids enfin, de 124 livres. En outre, son ouïe était excessivement faible, puisqu'il ne pouvait absolument entendre une grosse montre bien qu'elle fut appliquée au pavillon de l'oreille. Cet état était dû à l'affaissement physiologique amené par son âge avancé je l'ai considéré, par cela même, comme physiologique puisque M. Douls présentait toutes les conséquences de ses nombreuses années et aucun indice d'affection pathologique bien déterminée. Après la troisième injection je notais avec plaisir que cet individu, avait recouvré la fréquence de ses pulsations (elles s'étaient élevées à 70 par minute); que sa vue s'était améliorée au point de pouvoir lire avec facilité des caractères de 2 millimètres (0ᵐ,002) ; que sa force s'était élevée à 26 livres, que sa température était redevenue normale et que son poids après seize jours d'injection, s'élevait à 128 livres, soit une augmentation de quatre livres en si peu de temps. A ces données recueillies par moi personnellement, M. Douls est venu joindre l'expression de sa joie : que son état général s'était amélioré notablement, puisqu'il se trouvait gai, animé, pouvant marcher rapidement sans se fatiguer, pouvant lire un livre sans efforts et digérant parfaitement les aliments qu'il absorbait. J'ai relaté ce cas de façon bien détaillée, parce que je le crois véritablement important et capable d'intéresser le public intelligent

peut-être autant que moi, car il fut un des faits qui me
poussèrent à continuer l'étude commencée et me mirent en état de suivre et de faire connaître des faits
aussi curieux que celui que je viens de relater, et
d'autres que je vais exposer par la suite ; je dirai, dès à
présent que M. Douls est depuis trois mois sans injection et qu'il se conserve dans le même état ; il se trouve
parfaitement bien, l'ouïe même qui est revenue suffisante peut lui permettre d'entendre le tic-tac de sa
montre à la distance de 11 millimètres du pavillon de
l'oreille.

Le *numéro* 10 est aussi un cas excessivement curieux.
Il s'agit d'une dame de cinquante-sept ans, affectée de
décrépitude et d'anamnésie. Au premier examen, on
recueillit les données suivantes : pouls 80 ; vision, 6 et
demi ; force, 8 ; température, 37,7 ; poids, 98 livres.
Son pouls était filiforme, sa mémoire était presque
perdue, puisqu'elle oubliait des faits qui s'étaient produits une heure avant. Elle reçut la première et *unique*
injection le 22 août, et trois jours après nous notâmes :
pouls, 86 ; soit 6 pulsations de plus que le premier
jour ; vision 4 et demi, elle lisait des caractères de
0^m,002 plus petits ; force, 12 livres, soit 4 livres d'augmentation ; température normale.

Outre ces données, nous avons pu observer que son
pouls était plus plein, le caractère filiforme ayant disparu ; elle disait elle-même qu'elle se trouvait bien
mieux, se fatiguant moins pendant ses occupations, et
que la mémoire était plus vive. Cette dame, un mois
après l'injection avait augmenté de 3 livres, puisque le
21 septembre, elle pesait 101 livres. Avec une seule
injection elle se conserve jusqu'à présent, en très bon
état, malgré quelques nuits blanches passées à veiller
des malades gravement atteints, dans sa famille.

Le *numéro* 1. Individu de soixante-huit ans, atteint

de la *crampe des écrivains*. Ce monsieur, ancien officier de marine, est robuste, instruit et intelligent, sa
maladie se révèle essentiellement dans son écriture : il
ne pouvait, au début, signer son nom qu'en tenant son
poignet droit avec sa main gauche, et même ainsi son
nom était à peine lisible. Il recouvre de jour en jour
la santé, le tremblement qui l'éprouvait si fortement
disparaît graduellement ainsi que le prouve son écriture actuelle et les nombreuses épreuves manuscrites
que nous conservons après les avoir recueillies avec
soin. Il a commencé les injections le 7 août, il en a
reçu 15 actuellement, les trois dernières ont été faites
chacune à un mois d'intervalle, tandis que celles antérieures à des intervalles de quatre, cinq, huit et même
de quinze jours. Son état général s'est amélioré rapidement, gagnant 24 livres en force ; le pouls s'élevant
de 60 à 76 ; la température de 36,8 à 37,1, et enfin son
poids de 147 livres à 152. Il constate, comme les autres
cas un certain bien-être, de la gaîté, agilité, sommeil,
appétit et beaucoup plus de rapidité dans la marche,
puisqu'il parcourt une distance double de celle qu'il
parcourait auparavant. Outre tout cela, il y eut excitation génésique très marquée.

Numéro 2. Monsieur de soixante-deux ans, excessivement débilité. Les injections ont commencé à la
même date que le numéro 1 ; il y a à noter comme dans
celui-ci une réparation immédiate, puisque, à la première injection il y avait 76 pulsations, une vision
égale à 13 ; une force égale à 10 livres et 36,7 de température, et que dès le jour suivant nous notâmes : pulsations 80 ; vision, 6 et demi ; force, 16 livres ; enfin température 36,8. L'individu en observation déclara avoir
obtenu beaucoup de bien-être : gaîté, meilleur sommeil et enfin modification très notable dans la marche
de certaines maladies dont il souffrait, c'était : cata-

16

racte sénile aux deux yeux et *incontinence d'urine*.
Tant l'une que l'autre de ces deux maladies, s'amélio-
rèrent immédiatement ; à l'heure actuelle, l'incontinence d'urine a disparu et la cataracte également puisque sa vue est parfaitement claire.

Numéro 27. Dame âgée de soixante-huit ans, décré-
pite avec cataracte sénile et se plaignant du manque
d'appétit et de sommeil. Les données du premier jour
furent : pouls, 80 ; vision, 4 et demi ; force, 10 ; température, 36,8 ; ne peut distinguer les couleurs ; état général très débilité. Après cinq injections faites les 4, 6, 9,
11 et 13 septembre, la dame nous dit être pleine de
satisfaction, que son état général s'est transformé,
qu'elle se sent légère, avec de la force, de l'appétit, du
sommeil, choses dont elle avait beaucoup perdu l'usage
depuis trois années ; tandis que maintenant elle dort 5
à 6 heures sans interruption, sa vue s'est si bien améliorée qu'elle distingue les couleurs et lit déjà sans difficulté des caractères de 3 millimètres, soit 1 milli-
mètre et demi plus petit que le premier jour. Cette
dame a aujourd'hui 84 pulsations ; 16 livres de force et
température normale. Ce cas a déjà été relaté par les
reporters du journal *El Nacional*.

Le *numéro 138* est un individu âgé de soixante-huit
ans, sans autre infirmité que la déchéance des forces
occasionnées par l'âge (débilité générale). Présenté le
9 octobre, je pris les données suivantes : pouls, 84 ;
vision, 3 et demi ; force 25 ; température, 36,7 ; poids,
144 livres. Il reçut une injection et, le 11, je notai :
pouls, 90 ; vision, la même ; force, 27 ; la température,
37 ; nonobstant cette amélioration *graphique* le malade
n'accuse aucun progrès puisqu'il sent la même débilité
qu'avant. Les injections continuent à trois ou quatre
jours d'intervalle sans résultats appréciables pour lui
jusqu'à la quatrième injection. A la cinquième, il revient

plein de joie et nous relate avec animation, qui se tra-
duisait sur sa figure, qu'il se sentait tout autre; qu'il
avait recouvré presque sa vigueur juvénile et que cela
lui était d'autant plus agréable, qu'il commençait à
croire, que les injections seraient pour lui sans résultats puisqu'après 4 injections il n'avait ressenti aucun
soulagement. Cet individu en est aujourd'hui à sa neuvième injection, il éprouve toujours le même bien-être;
nous avons observé: pouls, 90; vision, 2; force, 35;
température, 170; poids, 140. Par ces données, on voit
que la circulation s'est ranimée; que sa force est notablement supérieure; que sa vue est devenue plus per-
çante; et enfin, que son poids est supérieur de 2 livres
et demie à celui d'il y a un mois et quelques jours.
Tout ceci, joint au bien-être qu'il accuse et qu'il ressent sans doute, font de ce fait, un des plus dignes de
considération.

Numéro 271. Vieillard de soixante-douze ans, dans le
même état d'abattement physiologique que ci-dessus.
Il ne se plaint d'aucune infirmité ni lésion, mais seulement de débilité exagérée de la vue, conséquence de
l'opération de la cataracte qui lui fut faite il y a quelques années et du manque de forces. La première injection fut faite le 14 novembre, les données remarquées
avant l'injection étaient les suivantes : pouls, 70; vision,
28; (il ne pouvait lire que des lettres de 0ᵐ,028 de hauteur); force, 20; température, 36,6; poids, 140 livres.
Le patient nous dit qu'il ne peut pas marcher, parce
qu'il fatigue beaucoup, la lassitude est tellement intense
qu'il a dû venir en voiture à la consultation. Le 16, deux
jours après la première injection, ce malade revient et
nous dit que la lassitude a diminué notablement, qu'il
avait pu marcher de son hôtel situé dans le centre
jusqu'à mon cabinet, Saint-Hipolito, n° 13, sans fatigue
et que son bien-être est parfait.

De notre côté, nous pûmes observer que son pouls s'était élevé à 80 ; sa vue à 20 ; sa force à 25 ; sa température à 37. Le poids ne fût pas relevé, étant donné le peu de temps écoulé. Le sujet en question en est aujourd'hui à 6 injections, reçues à intervalles de 3 à 4 jours, et à la dernière nous avons constaté que le pouls se maintenait à 80 ; que la vision s'est améliorée à ce point qu'il peut lire des lettres de 0,0^m45 (4 millimètres et demi) que sa force s'élève à 28, gagnant 8 livres en 14 jours, que sa température est normale et enfin que son poids est supérieur d'une livre et demie. Bien-être général. La vue s'est tellement améliorée qu'il a remplacé ses lunettes qui étaient du n° 5 par de plus faibles du n° 4, avec lesquelles il voit parfaitement.

A la suite de ces cas véritablement notables que nous achevons de faire connaître et qui ont pour objet de faire constater les modifications favorables survenues chez les vieillards, à la suite du traitement par les injections, nous allons présenter d'autres cas qui révéleront les modifications survenues chez les individus dont la vieillesse est prématurée.

Numéro 7. Homme de quarante-sept ans, épuisé et faible, tant à cause de sa constitution chétive que par suite d'excès dans les travaux intellectuels. Cet individu fût un des premiers injectés. Le 12 août nous avions : pouls 76 ; vision, 1 et demi ; force 8 ; température, 36,8 ; poids 104 livres. Il lui fut fait une injection ce jour-là. Le 16 août, il revient en disant qu'il se trouvait bien mieux, qu'il avait pu marcher avec facilité ; que certaines douleurs rhumatismales avaient disparu, qu'il avait pu travailler intellectuellement avec beaucoup plus de facilité et en somme, qu'il se sentait tout autre. On ne l'injecta pas à cette visite, mais le 28 seulement, le bien-être se continuait ce jour-là. Après la seconde injection l'amélioration s'accentua et nous pûmes observer que son pouls était de 80; sa vue 1; sa température 37.0; sa force 30; l'amélioration augmenta les jours suivants et enfin, le 31 octobre, *après deux mois sans injection*, nous vîmes que son pouls et sa température étaient normaux; sa vision 1; sa force 50; enfin son poids était augmenté de 4 livres et demie. Cet homme fut entièrement guéri en octobre.

Numéro 17. Monsieur de quarante-cinq ans, faible et épuisé par suite de travaux physiques et de vie dissipée. Il commença à s'injecter le 29 août. Une injection tous les 3 à 4 jours. A la date du 29 août on constatait : pouls 96; vision 1 et demi; force 24; température 37°; poids 154. Dès le jour suivant je notai une amélioration, son pouls augmenta jusqu'à 104 pulsations et sa force à 27. Cette force augmenta progressivement jusqu'à atteindre le 25 septembre, 65 livres. Son pouls descendit, après quelques jours, de l'accélération observée au pouls normal. La force acquise resta stationnaire à 65. Le 7 novembre les injections cessèrent, car dès cette date il ne les crut plus nécessaires se sentant parfaitement bien. Cet individu se trouvait si bien, après si peu d'injections, que s'il reprit le traitement ce fut surtout par crainte de se trouver plus mal en les suspendant tout à fait. Il y a aujourd'hui un mois et demi qu'il ne s'injecte plus et son état de santé est le même.

Numero 142. Monsieur de quarante-cinq ans, sans autre maladie que la débilité générale produite par excès de travaux physiques. La première injection eut lieu le 10 octobre et immédiatement, dès le 11, il accuse une amélioration sensible, se disant très content, se sentant très fort, plein de courage et d'ardeur au travail. C'est un des cas dans lequel la réparation a été des plus rapides. L'individu en observation reçut seulement deux injections à un intervalle de 8 jours et ne voulut pas continuer à s'injecter, disant qu'il était tout à fait bien. Et de fait, dans ces manières et par son expression on constatait le changement opéré. Sa force s'éleva jusqu'au chiffre exceptionnel de 75 livres, alors qu'elle avait commencé à 20.

Numéro 317. Individu de 26 ans, en parfait état de santé. Ce jeune homme s'injecta, tant pour connaître les effets de l'injection que parce que nous l'en avions prié, afin de pouvoir étudier les influences et modifications que ce nouvel élément thérapeutique exerçaient sur un sujet sain. La première injection se fit le 15 novembre. Quatre jours après il vint nous voir et nous dit que le jour de l'injection et les suivants, il avait senti une grande gaîté, un grand bien-être, que son appétit avait considérablement augmenté ; que son sommeil était meilleur ; qu'enfin une de ses incisives qui remuait s'était raffermie et que la douleur qu'il y ressentait auparavant avait disparu. Il attribuait ce phénomène à l'injection. Ce fait paraît puéril et douteux, cependant nous ferons connaître un fait semblable en observant le n° 171, entre les cas pathologiques.

Avant de terminer ce premier groupe, je dois faire savoir, que chez tous les vieillards atteints de tremblement par suite de vieillesse, le tremblement s'est modifié notablement, ainsi que le prouvent les innombrables écrits et les épreuves graphiques originales, que l'on a recueilli avec soin avant et après l'injection.

Il résulte des observations ci-dessus qui concernent des individus que nous pouvons considérer en *état physiologique* et ce, en toute clarté et sans forcer l'interprétation physiologique, que ces injections *dynamogéniantes* ont une action indiscutable sur l'organisme. Cette action est générale, elle opère sur le cerveau, comme le prouvent les sensations de bien-être, de gaîté, de sommeil et d'appétit, que nous avons rencontré chez tous les vieillards observés. La suractivité cérébrale est plus que prouvée par les faits pathologiques que nous allons voir par la suite comme dans les cas de folie, bégaiement, perte de la mémoire, etc., etc. Son action s'étend aux nerfs qui naissent à la base du cerveau, guérissant ainsi la paralysie faciale, l'atrophie du nerf optique, l'anesthésie de la région frontale, provenant des lésions du *trijumeau*, diverses infirmités de la rétine, etc , etc., et augmentant toujours le pouvoir visuel des individus qui ont l'organe de la vision affaibli, que cette faiblesse soit due à la vieillesse ou à tout autre cause débilitante. Le *bulbe* et la moelle épinière, ainsi que les nerfs sensitifs et moteurs sont favorablement excités. La *dynamisation* nerveuse est si claire et si évidente, qu'il suffit de jeter un coup d'œil sur les divers paralytiques et amaurotiques aveugles), qui ont recouvré l'usage de leurs mouvements et de leur vue pour être persuadé de la vérité de nos irmations.

Le grand sympathique, comme les autres nerfs, exerce son action à augmenter le nombre de pulsations et la température, ainsi que nous l'avons

vu chez les vieillards froids, qui ont avant l'injection une température de 35°8, par exemple,
laquelle redevient normale après. La nutrition
générale, régie par le système nerveux, devient
évidente par l'augmentation de poids, que vient
prouver encore la *bascule* et une plus grande
dureté des muscles. Ainsi que l'aspect de l'individu qui change notablement, parce qu'il sent son
action favorable sur le travail, puisqu'il fatigue
moins et qu'il peut exécuter des actes dont il ne
pouvait auparavant savourer le plaisir. En résumé,
le bien-être, la gaîté, l'augmentation du pouvoir
visuel, ainsi que la petite augmentation de température, l'appétit et la régularisation des fonctions digestives, l'augmentation de la puissance
génésique, l'accroissement continu des forces et
du poids, indiqué par la bascule et le dynamomètre, nous prouvent la vérité des faits physiologiques observés par le savant Brown-Sequard.

CHAPITRE III

Sénilité simple.

Des effets du suc testiculaire employé dès les premières manifestations de la sénilité. — Retour rapide à l'âge viril. — Observations personnelles de l'auteur.

OBSERVATION I

M. A. D..., âgé de soixante-six ans, architecte, est d'une constitution excellente. Jamais il n'a été sérieusement malade, mais il a eu une longue existence de travail intellectuel et physique dont il a certainement abusé. Depuis quelques années, sans que M. A. D... puisse accuser la moindre souffrance, le sommeil est devenu mauvais, l'appétit a diminué; l'amaigrissement général, l'atrophie musculaire se sont accentués progressivement, les membres inférieurs puis les bras sont devenus faibles. Au moment où nous voyons M. A. D..., pour la première fois, le 25 octobre 1890, il ressemble à un véritable château branlant que le moindre souffle semble devoir renverser. Il lui est impossible de gravir un étage sans l'appui d'un bras et il est incapable, seul, de monter soit en chemin de fer, soit en voiture. Le dynamomètre accuse cette

faiblesse extrême. C'est à peine si la vessie a la
force de projeter l'urine qui tombe sur les chaus-
sures, la faculté d'érection est complètement abolie et
la défécation est impossible sans le secours de lavements ou de laxatifs pris à l'intérieur. Les battements
du cœur sont réguliers mais faibles, la respiration est
bonne, je constate seulement un peu de toux et quelques crachats épais le matin. M. A. D... s'enrhume très
facilement depuis trois ans et garde quelquefois la
chambre pendant l'hiver. Le 28 octobre 1890, je con-
duis M. A. D... chez le professeur Brown-Séquard qui
pose le diagnostic de *parésie*, en éliminant, pour le
moment du moins, toute idée de paralysie ou d'ataxie
locomotrice et conseille l'emploi des injections sous-
cutanées de suc testiculaire de cobaye. Ce jour-là, la
force mesurée au dynamomètre accusait à droite 5 à la
pression de la main et 6 à la traction ; à gauche, 4 à la
pression, 5 à la traction. Les jambes étaient si faibles
que M. A. D... pouvait à peine produire l'effort suffisant
pour les détacher du tapis et une fois assis sur une
chaise, il ne pouvait se lever seul. Le traitement fut
commencé le 30 octobre et continué jusqu'au 11 décem-
br sans interruption, à raison d'une séance de quatre
injections de suc testiculaire, d'un centimètre cube
chacune, tous les deux jours, ce qui portait à vingt le
nombre des séances, et à quarante celui des injections.

L'essai n'avait pas été infructueux, l'état général
avait beaucoup gagné, l'état local s'était amélioré d'une
façon appréciable. Le sommeil était complètement réta-
bli, l'appétit excellent, la projection de l'urine s'était
accrue de vingt centimètres et la défécation avait lieu
d'une façon régulière sans le secours de lavements ou
de laxatifs. La toux ainsi que les crachats du matin
avaient cessé rapidement pour ne plus revenir. La sensibilité au froid était bien moindre qu'avant le traite-

ment, la physionomie et l'œil en particulier avaient retrouvé l'animation et la vie ; la mémoire et la faculté de travail avaient subi une notable amélioration. M. A. D... sentait en lui un bien-être qu'il ne connaissait plus depuis longtemps.

Les forces musculaires, quoique minimes, avaient augmenté au lieu de décroître. Au dynamomètre la pression accusait 15 à droite et 13 à gauche, au lieu de 5 et de 4, chiffres constatés par le professeur Brown-Séquard, le 28 octobre, la traction donnait 14 à droite et 11 à gauche, au lieu de 6 et de 5 constatés à la même consultation. M. A. D... pouvait se lever seul d'un siège bas, en prenant un point d'appui avec les mains. Donc, la force des bras et des jambes s'était accrue ; il pouvait marcher sans traîner le pied sur le tapis et descendre un étage, même sans tenir la rampe.

M. A. D... se trouvant beaucoup mieux, suspendit le traitement et put s'occuper activement de ses travaux qui nécessitaient parfois des déplacements importants. L'amélioration acquise se maintint jusqu'au 25 janvier, c'est-à-dire, pendant quarante-cinq jours, lorsqu'à la suite d'un léger refroidissement les forces baissèrent rapidement. Quand M. A. D... vint me voir au commencement de février 1891, le dynamomètre était tombé à 15 à 7 à gauche, et de 13 à 5 à droite, l'ascension de l'escalier sans tenir la rampe était devenue impossible. Six séances suffirent pour ramener les forces au point où elles étaient arrivées au commencement de décembre 1890. Depuis lors, M. A. D... a continué le traitement jusqu'au 22 juillet dernier, sans interruption, à raison d'une séance par semaine. Le dynamomètre accuse 22 à droite, 19 à gauche, la marche est beaucoup plus légère, la miction et la défécation se font aussi bien que possible, l'appétit et le sommeil sont excellents. En un mot, l'état général laisse peu à désirer.

Les organes génitaux seuls n'ont rien ou presque rien gagné au traitement.

Un fait à noter : M. A. D... affligé depuis une année d'une fistule à l'anus a constaté que celle-ci avait suppuré de moins en moins et fini par disparaître complètement. A la reprise de la médication, j'avais fait administrer chaque semaine, en plus de la séance d'injection deux lavements de suc testiculaire. (Dr GOIZET).

Cette observation ne permet pas de douter un seul instant de l'action dynamogéniante du suc testiculaire sur ce vieillard, qui n'avait d'autre maladie que la sénilité :

1° Parce qu'aucun autre médicament n'a été employé concurremment avec le suc testiculaire;

2° Parce que le relèvement des forces coïncide exactement avec l'application du traitement;

3° Parce que ces mêmes forces retombaient quelques jours après la suspension de la médication pour se relever promptement et se maintenir, en s'accroissant, dès la reprise des injections.

Cette observation est d'accord, en tous points, avec les faits consignés dans la communication faite à la Société de biologie par Brown-Séquard.

Si les fonctions génitales n'ont retiré aucun bénéfice du traitement, c'est que, dans ce cas particulier, ces fonctions étaient complètement éteintes et qu'aucune puissance au monde, pas même celle du suc testiculaire, ne peut ressusciter les organes qui sont vraiment morts. Les choses se seraient passées certainement tout autrement si les organes de la génération n'avaient été qu'affaiblis ; et, si faible qu'eût été l'étincelle de vie, elle se serait rallumée sous l'influence de l'agent régénérateur.

OBSERVATION II

Madame A..., soixante-quatorze ans, ne peut se remettre d'une violente attaque d'influenza survenue en février 1890. L'examen des organes ne permet de constater aucune lésion pouvant entraîner la mort. Pourtant, l'état général devient de jour en jour si misérable, que le dénouement fatal paraît inévitable, à courte échéance. Ce sont surtout les fonctions digestives et la circulation de retour qui sont atteintes. Madame A... ne supporte plus aucun aliment ; le lait, le bouillon, le vin de Champagne sont rejetés par les vomissements. Les membres inférieurs sont œdématiés jusqu'au-dessus du genou, la faiblesse est si grande que la pauvre femme ne peut même plus se tenir assise sur son lit. Les urines sont presque nulles. La nuit est agitée par la fièvre et de délire accompagné d'hallucinations. Ni la caféine, ni la digitale n'ont pu relever le muscle cardiaque.

Le 15 novembre 1890, je décide la famille à accepter les injections de suc testiculaire, et le jour même je pratique, à six heures d'intervalle, deux injections d'un centimètre cube. La nuit qui suit cette première séance est plus mauvaise que les précédentes ; la malade a une fièvre intense 39°5 et des frissons à plusieurs reprises. Mais dès le lendemain, les vomissements cessent et quelques cuillerées de bouillon, un peu de champagne sont pris avec plaisir et tolérés. Le 16, je pratique une

17

nouvelle injection d'un centimètre cube, la nuit se passe sans fièvre, Madame A... dort pendant quatre heures. Les 17, 18 et 19, le traitement continue à la dose d'un centimètre cube, l'état général s'améliore chaque jour : le bouillon, le lait, le vin, un œuf à la coque sont parfaitement supportés, les urines sont abondantes, les membres inférieurs désenflent et le 30 novembre, la malade est debout, après dix injections.

Pendant le mois de décembre, je fais seulement quatre injections et le 15 janvier 1891 après deux nouvelles injections, je cesse tout traitement. Madame A... a repris ses forces, peut descendre ses quatre étages et faire ses petites affaires. Depuis cette époque, la guérison ne s'est pas démentie. (Dr GOIZET.)

Dans cette observation, comme dans celle qui précède, il est impossible de nier l'action du suc testiculaire.

Je pourrais consigner ici dans tous leurs détails quinze autres cas de sénilité simple constatés et soignés sur des vieillards des deux sexes, 9 hommes et 6 femmes, de soixante à soixante-quinze ans. Mais, pour ne pas répéter des faits qui tous se ressemblent, je me contenterai de dire que les résultats, sans aucune exception, ont toujours été prompts et satisfaisants, que la durée du traitement n'a pas dépassé trois mois et que, dans trois cas, cinq injections ont suffi. J'ajouterai que, sur les vieillards, quand l'amélioration est bien établie, les lavements de suc testiculaire rendent de réels services.

OBSERVATION III

M. S..., homme de lettres, âgé de cinquante-neuf ans
est d'une forte corpulence, le tour de la taille mesure
1^m,28. La santé habituelle est excellente. Les appareils digestifs et circulatoires sont irréprochables. Les
fonctions de la génération s'accomplissent sans effort,
sans fatigue et avec une puissance qu'on rencontre rarement à cet âge. Les facultés intellectuelles sont excel-
lentes et le travail est aussi facile qu'il y a 20 ans.
M. S... pourrait à bon droit se dire jeune encore s'il ne
sentait en lui l'impression de la vieillesse qui commence
à s'installer. C'est la projection de l'urine qui est plus
faible, c'est la défécation qui est plus laborieuse, c'est
le sommeil qui est interrompu par les rêves et moins
réparateur. Enfin et surtout c'est l'emphysème pulmonaire qui rend la respiration très pénible. C'est à la respiration que le temps a fait la première brèche qui
livrera peu à peu passage au cortège des faiblesses
diverses qui constituent la vieillesse. Pourrons-nous
repousser ces premières manifestations de la sénilité,
puis réparer la brèche faite par le temps et retarder de
quelques années un nouvel envahissement? L'expérience va se charger de répondre.

Je commençai le traitement dans la première quinzaine d'avril dernier à raison de trois séances d'inoculations de suc testiculaire de cobayes chaque semaine.
Le vaccin employé était dilué au vingtième et la dose
injectée à chaque séance était de 3 centimètres cubes.
Après 3 semaines de traitement et 9 séances d'inoculations, non-seulement je n'avais obtenu aucune amélioration mais M. S... était beaucoup plus lourd après les
repas, se sentait moins disposé au travail et éprouvait
une lassitude générale qui le portait au sommeil. Je
conseillai un repos de quinze jours. Deux semaines plus

tard, M. S... reprenait courageusement la médication.
Cette fois, je crus devoir diminuer l'intensité du traitement et me bornai à administrer, deux fois par
semaine, 2 centimètres cubes de vaccin sequardien.

Aujourd'hui, après un nouveau traitement de deux
mois, c'est-à-dire de 17 séances d'inoculations l'emphysème a presque complètement disparu. M. S... monte
les escaliers et marche avec une facilité beaucoup plus
grande. Au moment où je commençai à l'injecter, il ne
pouvait gravir plus d'un étage sans s'arrêter ; maintenant il visite plusieurs fois par semaines, un parent qui
habite un cinquième étage, et peut accomplir cette
ascension sans se reposer et presque sans essoufflement.
Le tour de la taille qui mesurait $1^m,28$, ne mesure plus
que $1^m,12$ soit une différence de 16 centimètres ; le sommeil est devenu très régulier, plus profond, sans rêves
et toutes les autres fonctions, entre autres la défécation
et la miction, s'accomplissent dans des conditions notablement meilleures qu'auparavant. M. S... n'a plus l'impression fâcheuse de la vieillesse qui s'implante. Il sent
bien nettement que le traitement l'a reporté en arrière,
en plein sur le plateau de la virilité où il se sent en
humeur de rester plusieurs années encore, tellement il
a conscience de la force et de la vie qui sont revenues
en lui.

M. S... avait, depuis de longues années, un eczéma
très persistant qui a presque complètement disparu au
cours du traitement. (Dr GOIZET.)

Cette observation importante prouve d'une
façon évidente :

1° Qu'il est possible avec l'emploi des injections de vaccin sequardien d'arrêter la marche de
la sénilité, d'en faire disparaître les premiers

symptômes et de ramener à la virilité ceux qui viennent d'entrer dans le champ de la vieillesse, en prolongeant ainsi la durée de la vie active et réelle, pendant un certain temps. Ce temps peut durer plusieurs années, mais si court qu'il soit, il n'en constitue pas moins une conquête véritable sur la mort; personne ne peut plus en douter.

2° Qu'il ne faut pas se décourager après un premier échec et qu'il suffit parfois d'une simple modification dans le dosage du traitement pour obtenir un résultat plus heureux;

3° Que les effets du vaccin séquardien se sont accomplis lentement et sans secousse. Cette façon d'opérer du suc testiculaire n'est pas rare chez les personnes dont l'embonpoint est exagéré, et elle est constante chez celles dont la dépression est encore peu accusée. Il est à remarquer, en effet, que plus la faiblesse est grande, plus le relèvement des forces est promptement appréciable.

L'observation de M. S..... répond victorieusement à la lettre que m'écrivait M. J... L... Cette lettre exprime d'une façon précise l'état d'un si grand nombre de personnes, hommes et femmes, parvenues au sommet du plateau et tout près de faire le premier pas vers la descente, que

je ne puis résister au désir de l'insérer à cette
place même.

Monsieur,

Voulez-vous me permettre de vous adresser la question
suivante :

Il me semble que le procédé de notre grand Brown-
Séquard pourra être très utilement employé dans les
conditions suivantes :

Prenez un homme de cinquante ans, mais très bien
portant, sans lésion organique d'aucune sorte, sans affaiblissement quelconque, mais cependant se rendant
compte que, depuis quelques années, il y a légère dépression, la devinant comme logique, plutôt que la ressentant.

Ne serait-ce pas le moment d'avoir recours à ce traitement revivificateur, non plus à titre de guérison, mais à
titre de conservation, de réexcitation des facultés physiques et cérébrales, ce qui, chose très importante,
retarderait la période critique de soixante ans et au
moment où l'homme a toute sa valeur et son expérience
acquise, lui permettrait de travailler plus utilement.

Telle est l'idée que je vous soumets : prévenir la
vieillesse et la maladie et non plus seulement lutter
contre un état maladif ou sénile.

Excusez-moi de mon indiscrétion et veuillez agréer
l'expression de mes sentiments les plus distingués.

                                              J L...

M. J. L... a du reste fait sur lui-même l'expérience de l'agent puissant que nous préconi-
sons, et la dernière phrase d'une lettre qu'il

m'écrivit au mois de mai dernier, témoigne des
bons résultats obtenus, voici cette phrase :

Permettez-moi, mon cher docteur, de proclamer les
résultats merveilleux de la méthode dont j'ai ressenti
très nettement les effets.

Agréez, etc., etc.   J. L...

Je pourrais citer plus de vingt-cinq cas identiques à ceux que je viens de publier, mais tous
se ressemblent tellement que je me contente de
les signaler afin d'éviter les répétitions. Pourtant
je dois mentionner un fait important qui s'est
manifesté dans le cours de la cure de Mme V...,
âgée de cinquante-quatre ans.

OBSERVATION IV

Depuis six ans, c'est-à-dire depuis l'âge de quarante-
huit ans, la menstruation chez Mme V... avait cessé sans
reparaître, même une seule fois. Au bout de sept semaines de traitement et après la onzième séance de deux
injections d'un centimètre cube de vaccin au vingtième,
en même temps que Mme V... retrouvait les forces perdues, elle reprenait la physionomie, la vigueur et l'ardeur d'une femme de quarante ans. Comme complément
de ce regain de jeunesse, les règles firent à nouveau
leur apparition, et, depuis le mois de février, date de
cet heureux événement, c'est-à-dire depuis six mois,
cette fonction physiologique s'est accomplie avec une
régularité parfaite. (Dr GOIZET.)

CHAPITRE IV

Observations qui démontrent d'une façon évidente l'in-
fluence du suc testiculaire des mammifères, employé
en injections sous-cutanées chez l'homme aux diffé-
rents âges de la vie, soit pour prolonger le bon fonc-
tionnement des organes de la génération, soit pour
leur rendre la puissance diminuée ou perdue.

Le rôle prépondérant que jouent dans la vie de
l'homme les fonctions de la génération donnent
aux observations qui vont suivre un immense
intérêt et une portée incalculable. Impuissant à
perpétuer sa race, l'homme devient un être inutile.. Obligé de renoncer à l'amour, il n'a plus de
place à prendre dans la constitution de la famille
humaine, dont la base est l'union des sexes. Ne
partageant ni les joies, ni les peines, ni les
avantages, ni les charges du foyer, il en est for-
cément exilé. La vie misérable qu'il traîne péniblement n'inspire que la pitié.

OBSERVATION I

M. X..., de Mexico, âgé de trente-deux ans, a eu, presque sans intervalle, à l'âge de vingt-quatre ans, une attaque de vomito negro et un rhumatisme articulaire grave. A la suite de ces deux grandes secousses, l'estomac est devenu paresseux et l'on constate aujourd'hui une légère dilatation et une dyspepsie flatulente. Mais ce qui attriste surtout M. X..., c'est qu'il a perdu depuis cette époque toute faculté d'érection.

Venu à Paris au mois d'août dernier, il reçut les soins éclairés de notre éminent maître, M. le Dr Lancereaux, qui améliora beaucoup l'état de l'estomac, mais échoua complètement dans le traitement de l'impuissance.

M. X... était accompagné dans son voyage par son compatriote, le Dr de la Fuente. Celui-ci conduisit son ami chez le professeur Brown-Séquard, afin de prendre l'avis du maître sur l'efficacité de la méthode des injections de liquide testiculaire dans ce cas particulier.

M. Brown-Séquard ne jugea pas le cas favorable et prévint médecin et malade que les chances d'insuccès étaient aussi grandes, au moins, que les chances de succès. Néanmoins, il leur dit qu'ils pouvaient, sans crainte, essayer sa méthode et me les envoya.

Du 1er au 14 octobre, je fis sept séances de trois injections, pratiquées à une demi-heure d'intervalle les unes des autres.

Après la quatrième séance, le succès fut complet, et M. X... fut tourmenté toute la nuit par un véritable priapisme. Le même phénomène se renouvela après la sixième séance.

J'ajouterai que M. X...., pour ne conserver aucun doute sur l'efficacité de la méthode, avait mis à profit les heureuses dispositions qui avaient suivi son application.

M. X... est retourné à Mexico par le bateau du 15 octobre, plein de confiance dans le succès définitif, et depuis a repris l'usage du suc testiculaire. Les nouvelles que nous avons reçues nous permettent de dire que les résultats obtenus se sont maintenus et développés heureusement. (Dr GOIZET.)

OBSERVATION II

M. B..., vingt-six ans, lithographe, a fait deux années de service militaire au Tonkin. Rapatrié depuis deux ans, pour cause de maladie, il a conservé une diarrhée sanguinolente que n'ont pu enrayer ni le régime, ni les médicaments. Depuis plus d'une année, les organes de la génération se sont atrophiés dans de notables proportions et sont réduits à l'état d'impuissance absolue. Au contact d'une jeune fille, pour laquelle il éprouvait avant son départ pour le Tonkin une véritable passion, M. B... ne ressent pas le moindre désir. Ce malheureux jeune homme en est arrivé à un état tel de faiblesse et d'hypocondrie qu'il a pris en dégoût l'existence et que, plusieurs fois déjà, il a tenté de mettre à exécution les idées de suicide qui le hantent constamment.

Le 16 février 1891, je commençai le traitement à raison de trois injections du suc testiculaire, au vingtième, tous les deux jours. Le 2 avril, après quarante-cinq jours d'application de la méthode et vingt-trois séances de trois injections, M. B... était débarrassé de sa diarrhée, l'appétit et le sommeil étaient excellents, les forces et l'embonpoint revenaient à vue d'œil. Les fonctions génésiques bénéficiant aussi de cette régénération générale, avaient reconquis toute leur énergie.

La gaîté avait remplacé l'hypochondrie et les idées de suicide. M. B..., redevenu un homme, grâce aux injections du suc testiculaire, n'était plus indifférent au contact de sa fiancée qu'il épousait le 20 juin dernier. Courageux au travail, bien portant, ce jeune homme qui voulait mourir, il y a quatre mois, réclame aujourd'hui sa place au soleil et sa part de jouissance. (Dr GOIZET.)

OBSERVATION III

M. X..., trente-huit ans, a beaucoup abusé de l'onanisme jusqu'à vingt-deux ans. Paresseux, sans la moindre énergie, il est d'un caractère faible et morose. Quoique fort en apparence, il ne résiste pas à la fatigue. Marié à vingt-quatre ans à une femme dont il était très épris, il se livra sans retenue aux plaisirs vénériens pendant la première année de son ménage. Pourtant à ce moment déjà les érections étaient molles, incomplètes et fugitives. La marche vers l'impuissance fut rapide et les excitants de toute nature auxquels M. X... avait recours *intus et extra* ne firent qu'accélérer la chute. Dès l'âge de trente ans, le coït était devenu impossible. Malgré cet état lamentable, les désirs avaient persisté, et M. X... constatait quelquefois au réveil une velléité d'érection qui disparaissait du reste aussitôt.

M. X... vint me consulter le 3 mars 1891 et, dès le lendemain, je pratiquai deux injections d'un centimètre cube de suc testiculaire, au vingtième. La nervosité du malade m'obligea à ne faire qu'une séance de deux injections seulement tous les cinq jours. Malgré le peu d'intensité du traitement, les bons effets commencèrent à se faire sentir dès la cinquième séance; au bout de soixante jours de médication et de douze séances, le succès était complet. Depuis le mois de mai, M. X... est dans un état très satisfaisant et pourtant il n'a eu que deux fois, depuis cette époque, recours à la précieuse liqueur. (Dr GOIZET.)

OBSERVATION IV

M. T..., quarante-huit ans, ataxique avancé, a perdu depuis plusieurs années toute faculté d'érection.

En avril dernier, M. T..., sur les conseils de son médecin ordinaire, M. le Dr Basset, me fit appeler pour lui appliquer la méthode des injections séquardiennes.

Après dix séances pratiquées à deux jours d'intervalle, M. T... cessa le traitement à cause de la douleur que lui faisait éprouver l'introduction de l'aiguille à travers la peau hyperesthésiée, et ne retira aucun bénéfice de l'application de la méthode en ce qui concerne l'ataxie locomotrice. Mais dès la sixième injection, les érections avaient reparu et depuis lors, c'est le docteur Basset qui l'affirme, les organes génitaux ont conservé la puissance reconquise sous l'influence dynamogéniante du suc testiculaire. (Dr GOIZET.)

OBSERVATION V

M. L..., soixante ans, très robuste, aucune lésion organique n'a, jusqu'à présent, senti les atteintes de la sénilité que par une diminution très marquée, depuis deux ans, de sa puissance génésique qui s'en va rapidement. Les érections rares; une fois à peine, toutes les cinq à six semaines, sont devenues de plus en plus incomplètes. Dix séances de deux injections d'un centimètre cube de suc testiculaire, pratiquées à raison de deux par semaine, ont suffi pour rendre à M. L... toute la virilité qu'il possédait il y a douze ans. Depuis six mois, M. L...., qui tient à rester homme le plus longtemps possible et à conserver ce qu'il a regagné, fait une séance de deux injections tous les vingt jours. (Dʳ Goizet.)

OBSERVATION VI

M. V..., ancien officier de marine, encore très vigoureux, quoique rhumatisant, porte gaillardement ses soixante-onze ans et ne se plaint, gaîment du reste, que du peu d'exigence de ses organes génitaux. Une petite tempête de temps en temps au milieu de ce calme par trop plat contribuerait beaucoup, dit-il, à diminuer la monotonie des derniers jours de la traversée. C'est donc la tempête que l'amiral V... vient demander aux injections sequardiennes. Douze injections, d'un centimètre cube de suc testiculaire, au vingtième, pratiquées en quinze jours, ont suffi pour rétablir les fonctions génitales. Depuis le mois d'avril, M. l'amiral V... a déjà essuyé, sans sombrer, plusieurs tempêtes, et il espère que le temps des orages n'est pas encore fini. (Dʳ Goizet.)

OBSERVATION VII

Je ne puis me soustraire à l'obligation de dire deux mots d'un fait qui m'a été raconté par le professeur Brown-Séquard et qui ne peut être mis en doute, si invraisemblable qu'il paraisse, parce que ce fait est la démonstration claire et incontestable de la puissance dynamogéniante du suc testiculaire.

Il s'agit d'un vieillard de quatre-vingt-huit ans, très connu dans le monde de la haute finance sur lequel les

injections séquardiennes ont opéré une résurrection
des forces génésiques assez complète pour tenir tête à
plusieurs sujets du corps de ballet de l'Opéra. Le
médecin traitant, étonné de la médication, mais effrayé
des conséquences qu'elle pouvait avoir, crut devoir
renoncer à l'application de la méthode, à la grande
satisfaction de la famille et au grand regret du vieux
Céladon. (Dr GOIZET.)

Si les faits qui précèdent sont de nature à
prouver l'action puissante du suc testiculaire sur
les organes affaiblis de la génération, ils pourraient aussi induire en erreur nos lecteurs en
leur faisant croire que les succès sont constants
et que la précieuse découverte de Brown-
Séquard est un spécifique infaillible, capable de
remédier à tous les cas de sénilité des fonctions
génésiques. Il est de mon devoir de prémunir les
malades contre cet excès de confiance capable
d'amener de cruelles désillusions. En thérapeutique, la règle a ses exceptions aussi bien quand
il s'agit du suc testiculaire, que lorsqu'il s'agit de
tout autre agent tonique. Dans le cas qui nous
occupe, les exceptions sont rares heureusement,
mais elles n'en existent pas moins et sont
presque impossibles à prévoir avant l'expérience.
J'ai souvent réussi là où je croyais échouer et j'ai
quelquefois échoué quand tout me faisait espérer

la réussite. Je ne vais pas jusqu'à dire que les
exceptions confirment la règle, mais elles n'em-
pêchent pas celle-ci d'exister. Je puis en outre
affirmer, avec la certitude d'être dans la vérité, que
l'action du vaccin séquardien sur la conservation,
la prolongation ou le rétablissement de la virilité
est réelle et efficace, et je proclame hautement
les bienfaits que cet agent revivificateur, à peine
né, a déjà rendus à l'humanité.

CHAPITRE V

Anémie.

Action des injections de suc testiculaire chez les anémiques.

OBSERVATION I

Mlle T..., seize ans, petite, d'un développement diffi-cile, souffre beaucoup dans les régions lombaire et abdominale, lorsqu'arrive la première semaine de cha-que mois et cela, depuis une année seulement. En même temps, les seins se gonflent, durcissent, le caractère devient plus irritable. Tout fait supposer l'ap-parition prochaine de la menstruation. Pourtant les symptômes durent depuis un an et les règles ne se sont pas établies. Cet état persiste et s'aggrave, malgré l'emploi de la médication ordinaire : fer, arsenic, exer-cice au grand air, hydrothérapie, bains de mer, frictions aromatiques, bains de jambes, infusions chaudes, légè-rement excitantes, à l'approche de l'époque présumée et pendant cette époque. Peu à peu, la peau se déco-lore, les veines superficielles sont petites et vides, les lèvres et les ongles sont pâles. Mlle T... ne peut marcher un peu vite et encore moins courir ou monter, sans essoufflement, sans palpitations violentes. La migraine avec vomissements, les névralgies susorbitaires, les douleurs intercostales se succèdent et se remplacent presque sans interruption. L'appétit est nul ou dépravé, la digestion douloureuse et laborieuse, la constipation presqu'invincible. L'auscultation du cœur dénote un bruit de souffle aortique au premier temps, bruit qui se prolonge dans les vaisseaux du cou.

Quand je fus appelé à donner mes soins à Mlle T..., au mois de novembre 1890, l'anémie avait fait de tels progrès que la malheureuse jeune fille languissante et faible pouvait à peine marcher pendant quelques minutes. Les études et même la lecture avaient du être suspendues. Le sommeil était lourd, pénible ou troublé par des hallucinations. La malade triste, mélancolique ne prenait part à aucune des distractions de son âge. Les urines étaient décolorées, les membres inférieurs enflés le soir, les yeux et le visage bouffis.

Les progrès de l'anémie avaient suivi une marche si rapide que l'état devenait réellement alarmant. Je suspendis toute médication intérieure et, le 10 novembre, je pratiquai, dans la région fessière, une première injection sous-cutanée d'un centimètre cube de suc testiculaire au vingtième. Cette première séance ayant été très bien supportée et la malade ayant passé une nuit relativement calme, je recommençai le lendemain 11 et ainsi de suite, tous les jours, pendant une semaine. A la huitième séance, Mlle T... était plus gaie, avait un peu d'appétit, digérait mieux, dormait plus paisiblement et pouvait marcher pendant un quart d'heure environ, sans trop de fatigue. A partir du 20 février, je fis deux séances d'injections à raison de deux centimètres par séance, chaque semaine pendant quinze jours. L'amélioration était manifeste, la malade qui mangeait, digérait et dormait fort bien, se prétendait guérie. Je ne fis plus qu'une seule séance de trois centimètres cubes par semaine. Le 25 décembre, au matin, la menstruation s'était établie sans effort et sans douleur, Mlle T... se trouvait dans un état si satisfaisant que je suspendis les injections. Il a été inutile de les reprendre depuis. Le traitement avait duré six semaines; 24 centimètres cubes de suc testiculaire avaient été injectés en 16 séances. Du 24 janvier au 18 juillet 1891, 7 menstruations se sont accomplies de la façon la plus normale et sans autres souffrances que les malaises habituels, à cette époque, chez les jeunes filles bien portantes. Le développement physique et intellectuel reprit avec la santé un cours rapide et Mlle T... qui vient d'avoir ses dix-sept ans, est devenue en moins d'un an, une belle et forte femme, parfaitement apte au mariage. (Dr GOIZET.)

OBSERVATION II

M. le Dr X..., quarante-deux ans, chirurgien de la marine, a fait un long voyage au Congo, au cours duquel il a contracté les fièvres intermittentes pernicieuses et une dysenterie grave. Rapatrié depuis 18 mois, les forces ne revenant pas malgré un régime bien approprié, une médication tonique bien indiquée et plusieurs cures climatériques, M. le Dr X... a suivi à l'Institut de la rue de Berri, sous ma direction, du 17 février au 22 mars, un traitement de 12 séances de deux injections d'un centimètre cube de suc testiculaire. Dès la cinquième injection, M. le Dr X... allait mieux ; à la douzième, le rétablissement des forces était complet, le 3 mai, il reprenait la mer en parfaite santé, ayant engraissé de 9 kilogrammes. (Dr GOIZET.)

OBSERVATION III

M. C..., dix-huit ans, préparant ses examens à l'École
polytechnique, est pris, au mois d'octobre 1890, par une
fièvre typhoïde grave qui ne se termine qu'en novembre
et dont la convalescence se prolongeait indéfiniment
avec un dérangement d'entrailles continuel. L'amaigrissement était effrayant, la faiblesse extrême, aucun
travail intellectuel n'était plus possible. Six semaines
de séjour à Cannes n'avaient amené aucune amélioration. Les parents de M. C..., me l'envoyèrent le 7 février
1891 et je commençai le traitement le jour même par
deux injections d'un centimètre cube de suc testiculaire
au vingtième. Je continue le traitement à la même date
à raison d'une séance tous les deux jours. Le 17, c'est-
à-dire, dix jours plus tard, la diarrhée était arrêtée, le
2 mars, M. C... était guéri et pouvait reprendre ses
études; son poids avait augmenté de 5 kilogrammes en
25 jours. Aujourd'hui personne ne pourrait reconnaître
le pauvre mourant du mois de février. M. C... a reçu
28 injections d'un centimètre cube en 14 séances.
(Dr Goizet.)

OBSERVATION IV

M. H... S..., trente-quatre ans, directeur d'un grand
journal politique quotidien de Paris, a été, depuis quelques mois, très affecté par trois hématémèses évaluées
à plus d'un litre de sang pour chacune d'elles. Ces
hémorrhagies attribuées par plusieurs de nos célébrités
médicales les plus compétentes et par moi-même à des
causes diverses, avaient laissé M. H... S... dans un état
de faiblesse générale qu'un séjour de deux mois à Arca-

chon n'avait pas amélioré. La lettre que m'écrivait le
docteur Bourdier qui avait soigné M. H... S..., pendant
sa villégiature, n'était rien moins que rassurante et
constatait que l'état de faiblesse du malade n'avait subi
aucune modification heureuse.

Dans la semaine qui suivit le retour à Paris, une
hémorrhagie nouvelle eut lieu avec évacuation abondante de sang par l'intestin. Mais la nature du malaise
éprouvé, indiquait d'une façon certaine que l'estomac
était cette fois encore le siège de l'écoulement sanguin.
Ce fut du reste l'avis de M. le docteur Duguet qui vit
le malade avec moi, à quelques jours de là. M. H... S...
était d'une faiblesse extrême et tolérait mal les médicaments ordonnés. Après une dizaine de jours de régime
lacté et de repos au lit, je supprimai tout le traitement
prescrit, voyant que celui-ci ne parvenait pas à relever
les forces. Je commençai alors le 8 juin les injections
de suc testiculaire à raison d'une injection d'un centimètre cube de liquide testiculaire tous les deux jours.
Au bout de quelques injections M. H... S... se sentit
mieux et les forces revinrent promptement. A la fin de
juillet, mon malade est aussi bien qu'il n'a jamais été,
il est plein de courage et d'énergie morale, mange,
digère et dort dans la perfection. Le poids du corps a
augmenté de 2 kilogrammes. Des vertiges existant
depuis plusieurs années ont disparu. J'arrête le traitement, M. H. S... devant partir en voyage pour un mois.
(Dr GOIZET.)

Les quatre observations qui précèdent sont
choisies parmi beaucoup d'autres. Elles suffiront
à établir dans l'esprit de nos lecteurs, comme
dans le nôtre, que le suc testiculaire, employé

sous forme d'injections, est un tonique merveilleux par la puissance de son action et la rapidité
de ses effets. Je ne connais aucune puissance qui
puisse rivaliser avec lui dans le traitement de
l'anémie.

Dans les quatre cas que je viens de citer, la
vertu dynamogénique du nouvel agent thérapeutique ne peut être mise en doute, puisque avant
d'en commencer l'emploi, j'avais eu le soin de
supprimer depuis plusieurs jours toute autre
médication. Ce n'est, du reste, qu'après l'échec
de ces médications diverses que j'avais eu recours
à son usage.

———

CHAPITRE VI

Du Cerveau.

De l'emploi du suc testiculaire dans les affections des centres nerveux.

Pour tout ce qui a trait aux affections mentales, n'ayant eu personnellement aucun malade à soigner, je ne saurais mieux faire que de citer textuellement les expériences du savant professeur Mairet, de Montpellier, présentées et commentées par Brown-Séquard, en janvier 1890.

I. — Parmi les faits que j'ai à rapporter, ceux que je trouve dans une leçon (1) du professeur Mairet, de Montpellier, sont assurément les plus importants à tous égards. Je vais reproduire ici

(1) *Bulletin médical de Paris*, mercredi 12 février 1890, p. 141. — Cette très remarquable leçon est due à un médecin qui s'est acquis une haute position comme savant et comme praticien. On lui doit, en particulier, de belles recherches sur l'élimination de l'acide phosphorique, chez l'homme sain, l'aliéné, l'épileptique et l'hystérique.

plusieurs parties de cette leçon en y ajoutant quelques remarques et des figures représentant les effets produits sur le pouls et sur la chaleur animale par des injections sous-cutanées de liquide testiculaire.

Les malades sur lesquels M. Mairet a opéré étaient atteints de la forme d'aliénation mentale, connue sous le nom de *stupeur*, maladie qui se caractérise par une dépression nerveuse considérable. Je vais d'abord laisser la parole au professeur de Montpellier, et j'exposerai ensuite les remarques auxquelles me conduisent les résultats qu'il a obtenus. Il commence par la description suivante de la stupeur :

« Au point de vue intellectuel, les conceptions sont excessivement lentes, les expressions extérieures ont beaucoup de peine à produire une réaction sur le cerveau.

« Au point de vue moteur, les malades restent immobiles, des journées entières, dans la position où ils se trouvent, sont dépourvus de toute initiative, ne songent pas à manger et souvent urinent ou salissent sous eux.

« Au point de vue sensitif, la perception est retardée, parfois même il y a de l'anesthésie.

« Au point de vue de la vie organique, la circulation se fait mal, ainsi que l'indique les stases sanguines, le refroidissement périphérique et l'état du cœur ; l'appétit est diminué, et les échanges nutritifs sont ralentis, comme il est facile de s'en rendre compte par l'analyse des urines.

« N'était-il pas logique, connaissant les effets des injections de liquide testiculaire, de les essayer dans la forme d'aliénation mentale dont je viens de vous indiquer brièvement la physionomie? Il me le semble ; d'autant plus que les expériences physiologiques que j'avais faites m'avaient démontré leur innocuité complète. Ainsi se trouvent expliquées les raisons pour lesquelles j'ai employé ces injections.

« Les injections ont été pratiquées en différents points du corps, mais plus spécialement au niveau de la région lombaire et du ventre.

« Généralement nous ne faisons qu'une injection par vingt-quatre heures, parfois nous en avons fait deux.

« Localement, ainsi que vous pouvez vous en convaincre par les malades que vous avez devant vous, ces injections ne produisent aucun phénomène digne d'être noté; on constate seulement un peu de rougeur autour de la piqûre.

« Les malades semblent même peu souffrir de l'injection, ce qui, peut-être, doit être attribué à l'état de stupeur dans lequel ils se trouvent; en tout cas, ils se prêtent assez volontiers aux injections qui leur ont toujours été faites avec tous les soins désirables, par notre distingué interne M. Bosc. »

Après avoir éliminé deux cas sur six, l'auteur dit :

« Restent donc les quatre malades que vous

avez devant vous, je désignerai ces malades par
des numéros.

« Le n° 1 est un homme de trente-sept ans,
malade depuis huit mois environ. L'aliénation
mentale se traduit chez lui par des périodes alternatives d'agitation et de dépression. Pendant les
premières, l'agitation s'accompagne d'égarement
intellectuel, d'idées de peur, de tristesse et
d'hallucinations de divers sens. Pendant les
secondes, la stupeur est profonde, le malade
mouille et salit sous lui.

« Au moment où nous commençons chez cet
homme les injections, la stupeur est très marquée, le regard est vague, avec une légère teinte
d'inquiétude, les réponses sont très lentes, parfois même impossibles. Debout ou assis sur une
chaise, X..., reste des heures entières dans la
même position, ne songeant pas à aller manger,
ni même à manger, quand il est à table, et laissant aller ses urines sous lui. On est obligé de le
soigner comme un enfant. Cette aliénation mentale a toutes les allures d'une folie fonctionnelle
et héréditaire.

« Le malade n° 2 est une jeune femme âgée de
vingt-cinq ans. Inconnue dans son hérédité; cette
malade ne présentait, avant sa maladie, aucun
stigmate physique et psychique pouvant faire
croire à une tare héréditaire.

« L'aliénation mentale est survenue chez elle,
il y a sept mois environ, pendant qu'elle allaitait
son second enfant. A ce moment elle fut prise
d'un rhumatisme généralisé, pendant l'évolution
duquel apparurent des troubles délirants qui,
d'emblée, furent vésaniques et qui se traduisirent
au début sous forme de stupeur lypémaniaque,

c'est-à-dire sous forme d'aliénation mentale caractérisée par un état de stupeur, traversée à certains moments par des accès d'agitation fréquents avec des idées de tristesse entretenues par des hallucinations de la vue et de l'ouïe.

« Puis, peu à peu, l'agitation disparut, et deux mois après le début de la maladie, à part un peu d'inquiétude vague, la stupeur seule persistait. A peine si en la secouant on pouvait obtenir de cette femme une réponse lente et mal articulée aux questions qu'on lui posait ; elle laissait tout aller sous elle, il fallait la faire manger comme un enfant ; les extrémités étaient froides, œdématiées même, si bien qu'on dut la faire coucher.

« Les photographies et les dessins que je vous fais passer, vous rendent bien compte de ce qu'était à ce moment la stupeur. Lorsque nous avons commencé les injections de liquide testiculaire, l'état physique, grâce aux soins dont cette malade avait été entourée, était meilleur, mais la stupeur était toujours la même et persistait telle depuis trois mois. Chez cette malade, la nutrition est l'agent pathogénique essentiel de l'aliénation mentale.

« Il en est de même chez la malade n° 3 dont la folie s'est développée, elle aussi, à la suite d'un accouchement ; seulement, dans ce cas, le terrain était tout préparé par une hérédité puissante.

« Chez cette femme il y avait eu au début, comme chez la précédente, des accès d'agitation ; mais lorsque nous avons pratiqué nos premières injections, elle était depuis plus de cinq mois dans un état de stupeur profonde, avec atonie des traits, infiltration marquée des paupières, regard terne exprimant une vague inquiétude, nécessité de la diriger comme un enfant, de la faire manger, de la faire aller au water-closets, refroidissement des extrémités, etc.

« Le malade n° 4 est un homme âgé de trente-sept ans, qui est aliéné depuis nombre d'années déjà, son intelligence commence même à s'affaiblir; mais ce qui domine chez lui, c'est la stupeur. Cette stupeur se traduit : au point de vue physique, par l'atonie des traits, un refroidissement des extrémités constituant une véritable asphyxie, des intermittences cardiaques se faisant sentir toutes les dix ou douze pulsations, et, au point de vue physique, par un état d'engourdissement intellectuel d'où on ne le fait sortir qu'en le secouant violemment, et cela pour n'obtenir que des réponses incomplètes aux questions qu'on lui pose. Cet homme conserve pendant des heures entières la même position, et il faut non seulement le conduire à table, mais encore le faire manger.

« Tels sont les malades sur lesquels nous avons expérimenté les injections de liquide testiculaire. Deux de ces malades, le n° 3 et le n° 2 étaient atteints de folie par troubles de la nutrition; le n° 1 et le n° 4 présentaient une aliénation mentale fonctionnelle qui, chez le dernier, a abouti déjà à la démence.

« L'état intellectuel dans lequel étaient nos malades vous est un sûr garant qu'il n'a pu y avoir chez eux de suggestion; d'ailleurs, ils n'ont jamais connu la nature du liquide que nous leur injections.

« A part le n° 4, ces malades ont été soumis à différentes reprises à des injections répétées, chaque fois, pendant plusieurs jours consécutifs : six, huit et quatorze jours.

« Chacune de ces séries d'injections ont été séparées par un intervalle de temps variable.

« Avant de vous indiquer quel a été chez nos malades le résultat de ces différentes séries d'injections, il est bon que je vous indique ce qu'a produit chacune d'elles, et à ce point de vue je me limiterai même, pour le moment, à ce qui touche le système nerveux qui préside à l'intelligence, à la motilité et à la sensibilité.

« Pour vous éclairer à ce sujet, je n'aurai qu'à vous rappeler ce que vous avez vu vous-mêmes.

« Chez le malade n° 1, par exemple, à la suite d'injections de liquide testiculaire, répétées une fois par vingt-quatre heures, pendant huit jours consécutifs, vous avez vu, dès le troisième jour, la stupeur diminuer. Cet homme, loin de rester immobile à la même place, va et vient constamment, il se sent plus fort, et pour le montrer, comme nous mesurions sa force, soit au dynamomètre, soit en nous faisant serrer la main, il va d'un infirmier à l'autre lui demandant la main pour la lui serrer.

« Au point de vue psychique, la surexcitation se traduit par de l'inquiétude, de l'apeurement, une hyperesthésie du sens de l'ouïe, l'idée que les personnes qui l'entourent veulent lui faire du mal, l'animation du regard et la coloration du teint.

« Chez cet homme, les injections ont donc produit une surexcitation portant sur l'intelligence, la sensibilité et la motilité. Nous n'avons pas constaté chez lui d'excitation génésique.

« Chez la malade n° 2, l'excitation du système nerveux a été moins marquée que chez le n° 1, mais cependant elle a encore été très nette, et, à cet égard, je vous rappelle ce qui s'est passé lors

19.

de la seconde série d'injections que nous avons
faites chez elle. Dès le troisième jour, cette femme
qui, auparavant, ne répondait que très lentement
et tout bas aux questions que nous lui posions,
et retombait immédiatement dans sa torpeur, se
lève de sa chaise, s'avance vers nous dès que nous
l'appelons, répond avec beaucoup plus de vivacité
et d'une manière beaucoup plus intelligible, mange
seule et avec appétit, ne reste plus immobile à la
même place, commence même à s'occuper à la
couture, devient propre et a une certaine initiative. La physionomie est plus ouverte, les traits
sont moins flasques, l'œil est plus vif, et on constate un peu d'apeurement entretenu par une hyperesthésie de l'ouïe. Enfin, il y a un certain degré
d'excitation génésique et une disparition de pla-
ques d'anesthésie qui existaient au niveau de la
jambe droite et du bras gauche.

« Mais c'est peut-être la malade n° 3 qui a présenté, sous l'influence des injections de liquide
testiculaire, l'excitation la plus marquée. Vous
l'avez vue ne pouvant rester en place, aller d'une
malade à l'autre, les regardant dans les yeux, ou
leur arrachant leur ouvrage. Vous l'avez vue d'autres fois se lever de sa chaise et se mettre à courir, croyant reconnaître dans une personne qui
passe un de ses parents. L'intelligence, tout en
restant très embrouillée, est cependant plus nette;
cette femme, qui ne répondait pas à nos questions,
y répond nettement, et vous avez pu l'entendre
me dire, lorsque je lui demandais ce qu'elle dési-
rait : « Je voudrais aller à ma maison pour soigner mon « mari et mes enfants. »

« La surexcitation est même, à un moment
donné, devenue tellement considérable, que j'ai

dû empêcher cette malade d'aller à la cuisine, où j'avais dit qu'on la prît, parce que lorsqu'elle rencontrait des vieillards ou des enfants de l'hôpital, elle leur sautait au cou, les appelait mon père ou mon fils, ou bien mangeait les aliments qu'on la chargeait de porter. Peut-être y a-t-il eu chez cette femme un peu d'excitation génésique.

« L'excitation cérébrale a aussi existé chez notre malade n° 4 ; mais je ne vous en parle pas, les faits qui précèdent suffisent pour vous fixer à ce sujet.

« Pas de doute donc, les injections de liquide testiculaire produisent chez les individus atteints de stupeur une excitation du système nerveux portant sur l'intelligence, la sensibilité et la motilité.

« Voilà un premier résultat.

« Mais est-ce là un résultat suffisant pour justifier l'emploi de ces injections ? L'étude des allures et de l'évolution de cette surexcitation va nous fixer à cet égard.

« Au point de vue de ses allures, la surexcitation que nous avons constatée chez nos malades reproduit complètement la physionomie de l'agitation qui émaille la stupeur hypémaniaque, agitation ayant un caractère particulier de se greffer sur un fond de stupeur et de s'accompagner d'inquiétude, d'idées de tristesse et souvent de perversions sensorielles. Cette excitation, vous le savez, nous l'avons déjà constatée chez nos malades, en dehors des injections, au début de la maladie chez les n°s 2 et 3, à différentes reprises pendant le cours de l'aliénation mentale chez le n° 1 ; c'est donc une excitation morbide.

« Au point de vue de son évolution, cette surexcitation est passagère ; lorsqu'on cesse les injections, elle s'atténue progressivement, et après un nombre

de jours variables, suivant des conditions qui restent à déterminer, mais qui, chez nos malades, n'a
pas dépassé dix ou douze, elle disparaît.

« Excitation morbide, excitation passagère, tels
sont donc les caractères de l'excitation produite
sur le système nerveux de la vie de relation par
les injections de liquide testiculaire.

« A mon avis, si ces injections limitaient leurs
effets à un semblable résultat, ce résultat serait
par trop précaire pour justifier leur emploi.

« Et cependant vous m'avez vu les continuer.
C'est qu'à côté des effets que je viens de vous
signaler ces injections en produisent d'autres que
le moment est venu de vous indiquer, et qui m'ont
paru pouvoir exercer une heureuse influence sur la
maladie. Ces effets se rattachent à la circulation,
à la température et à la nutrition.

« 1° *A la circulation*. — Lorsque le chiffre des
pulsations cardiaques oscille autour de la normale,
les injections de liquide testiculaire ne le modifie
pas, ainsi que vous pouvez vous en rendre compte
par les tracés que je vous présente. Mais lorsque
ce chiffre s'éloigne de la normale, soit qu'il soit
au-dessus ou au-dessous, ces injections tendent à
le ramener à la normale ; les deux tracés que je
fais passer sous vos yeux le démontrent.

« Dans l'un, le nombre des pulsations était de
130 avant l'injection ; dès les premiers jours, après
l'injection, ce nombre tombe à 90, et pendant toute
la durée des injections et même assez longtemps
après, il oscille entre 89 et 90. Dans l'autre, le
chiffre des pulsations qui était de 55, monte à 90
sous l'influence des injections, et se maintient aux
environs de ce chiffre.

« Les injections de liquide testiculaire tendent donc à régulariser la fréquence des pulsations cardiaques, et on peut dire à régulariser d'une manière générale les pulsations cardiaques. Voyez plutôt notre malade n° 4. Cet homme, avant les injections, présentait des intermittences à chaque six ou sept pulsations ; sous l'influence des injections, ces intermittences se sont progressivement espacées, et aujourd'hui vous n'en constatez plus.

« En outre, au bout d'un certain temps, le pouls se relève et devient moins dépressible, mais c'est là une particularité qui tient surtout à l'état de la nutrition.

« 2° *A la température.* — Comme la circulation, les injections du liquide testiculaire tendent à régulariser la température, du moins lorsqu'elle est au-dessous de la normale. Chez les malades atteints de stupeur lypémaniaque, la température ne dépasse pas, en temps ordinaire, 36 degrés à 36°,5 ; à la suite des injections, cette température tend à se rapprocher de 37 degrés : les courbes que je vous présente en font foi.

« 3° *A la nutrition.* — J'ai constaté chez tous mes malades, consécutivement aux injections, une augmentation de l'appétit, augmentation qui s'accuse dès les premiers jours et qui est telle que les infirmiers sont les premiers à la signaler et qu'on voit les malades non seulement ne plus refuser de manger, mais encore se mettre à manger seuls. D'ailleurs, vous avez pu entendre la malade n° 2 vous dire qu'à la suite des injections son appétit avait tellement augmenté qu'elle mangeait au moins deux fois comme à son état ordinaire. Corrélativement la digestion se faisant régulièrement, la nutrition s'améliore. J'aurais désiré mesurer pour ainsi dire ce relèvement de la nutrition par l'examen des déchets, mais le désarroi dans lequel se trouve actuellement notre laboratoire, par suite des améliorations que nous lui faisons subir, m'a empêché de le faire jusqu'à présent.

« Ainsi, régularisation de la circulation et de la température, amélioration de la nutrition, tels sont, à côté de la surexcitation que je vous indiquais précédemment, les effets que produisent les injections du liquide testiculaire.

« Et ces effets se prolongent davantage que la surexcitation. Plusieurs jours après que celle-ci a disparu, ils s'accusent au point de vue physique par une ténacité plus grande des traits, un teint plus clair, la disparition des infiltrations et du refroidissement périphérique, l'état du pouls et du cœur; et, au point de vue intellectuel, par une intelligence plus ou moins en éveil, plus apte à comprendre, ayant en un mot plus de ténacité; bref, ils s'accusent par un ensemble de symptômes qui indiquent une tonicité plus grande du système nerveux.

« L'excitation du système nerveux ne représente donc qu'une partie des effets produits par les injections de liquide testiculaire; ces injections produisent en outre une action tonique sur ce système, agissant ainsi, non seulement sur les forces de dégagement, mais encore sur les forces radicales, sur les forces de tension.

« Il nous est facile maintenant de comprendre pourquoi j'ai continué l'emploi des injections de liquide testiculaire, surtout si vous vous souvenez que dans la stupeur hypermaniaque le système

nerveux est déprimé, que la circulation se fait mal,
et que, chez deux de nos malades, l'aliénation était
due à des troubles de la nutrition. Je pouvais espérer, en effet, étant donnée l'action du liquide
testiculaire que je viens de vous indiquer, agir sur
le fond même de la maladie.

« Je procédai alors de la manière suivante :

« Lorsqu'au bout d'un certain nombre d'injections l'action tonique était obtenue, je m'arrêtais,
et commençais une nouvelle série d'injections
lorsque cette action cessait de produire ses effets.
Jusqu'à présent, j'ai fait ainsi trois séries d'injections sur les malades n° 1 et n° 2, et deux séries
sur la malade n° 3.

« Vous pouvez juger des effets obtenus.

« Chez la malade n° 3, si l'amélioration est
aible, elle est cependant réelle, ainsi que le
prouvent la moindre intensité de la stupeur, la
plus grande netteté de l'intelligence, l'animation
des traits, l'expression de la physionomie.

« Chez le malade n° 1, après la troisième série
d'injections, la maladie a repris une allure qu'elle
avait déjà eue autrefois, c'est-à-dire que la stupeur
a fait place à un état d'agitation avec inquiétude,
état qui remonte déjà à plusieurs semaines et qui,
par conséquent, est bien assis.

« Dans ce cas, il semble donc que les injections
n'ont fait que changer la forme de la maladie, sans
atteindre le fond. Cependant, si vous étudiez cet
homme dans sa phase actuelle d'agitation, comparativement à ce qu'il était dans les phases antérieures d'excitation par lesquelles, vous le savez,
il a déjà passé, vous vous assurez facilement que
sa nutrition est meilleure, que sa physionomie est
plus naturelle, que les idées sont plus nettes, que

son intelligence a plus de ton. C'est tellement vrai que l'agitation n'étant pas très considérable, il en impose à la famille, puis s'imagine, à tort, je le crois, que sa guérison est proche. Mais, quoiqu'il en soit de l'avenir, il n'en est pas moins vrai que, dans ce cas, les injections du liquide testiculaire ont eu une heureuse influence par l'action tonique qu'elles ont exercé sur le système nerveux, action qui se continue, bien que ces injections aient été suspendues depuis plusieurs semaines.

« Mais la malade, chez laquelle nos injections paraissent avoir eu le meilleur effet, c'est la malade n° 2.

« Cette femme a subi dans son état physique et mental une transformation complète. Toute trace de troubles psychiques a disparu, la physionomie a repris son expression ordinaire, la nutrition est bonne : cette malade est en état de convalescence très avancé, on peut même dire qu'elle est guérie. Dans ce cas, s'il y a une seule coïncidence entre l'emploi des injections et l'amélioration, cette coïncidence est tout au moins curieuse ; c'est en effet immédiatement après la première série d'injections que la maladie, qui était restée plus de trois mois stationnaire, a commencé à s'améliorer, et à chaque série d'injections l'amélioration s'est prononcée. Cette femme attribue nettement au traitement son amélioration et sa guérison ; à chaque série d'injections elle sentait, dit-elle, ses forces augmenter, le vague de son esprit diminuer et son ntelligence s'éclairer.

« Les résultats qui précèdent me semblent donc justifier pleinement la persistance que j'ai mise à continuer l'emploi des injections testiculaires. »

Il serait difficile de ne pas accepter les conclusions si pleines de réserve de M. Mairet, qui montre dans cette belle leçon un esprit scientifique peu commun. Un point mis absolument hors de question dans ce travail doit être tout d'abord signalé, bien qu'il ait été déjà établi par des faits d'un autre ordre. Il s'agit du rôle de la suggestion qui, dans le cas de M. Mairet, a nécessairement été nul. Il est donc évident que les effets dynamogéniques observés à la suite d'injections du liquide testiculaire dépendent bien d'une action spéciale de ce liquide et non d'une suggestion.

Parmi les résultats obtenus par le professeur de Montpellier, ce qui est nouveau et de la plus haute importance se trouve dans l'amélioration notable de l'état mental des individus soumis aux injections. L'influence heureuse sur l'activité cérébrale, chez des individus à l'état de parfaite santé mentale, que j'avais signalée et qui a été constatée par plusieurs observateurs, peut donc se montrer même chez des aliénés.

Les effets obtenus à l'égard de l'appétit et de la digestion, ne font que confirmer ce que plusieurs observateurs ont déjà signalé dans un très grand nombre de cas.

Pour les physiologistes, les résultats signalés par M. Mairet à l'égard de l'influence exercée par

20

le liquide testiculaire sur le pouls et la chaleur animale sont d'un très vif intérêt. J'ai été très heureux, conséquemment, d'obtenir du professeur de Montpellier et de son interne, M. Bosc, des tracés qui n'ont pas encore été publiés, et qui montrent l'exactitude des assertions émises dans la leçon reproduite ci-dessus. Ces tracés ont été pris sur trois malades (les n°s 2 et 3, et sur un autre dont l'histoire n'est pas donnée dans la leçon).

Dans ces tracés la ligne ponctuée représente le pouls, la ligne noire pleine représente la chaleur animale, les petites croix indiquent les jours où les injections ont été faites et leur nombre par jour.

La figure 1 se rapporte à la malade n° 2.

La figure 2 se rapporte à la première série d'injections faites sur la malade n° 3.

La figure 3 se rapporte à la seconde série d'injections faites sur la malade n° 3.

La figure 4 se rapporte à un malade dont l'histoire n'a pas été donnée dans la leçon et qui était atteint de stupeur lypémaniaque, comme les autres malades. On voit dans ce tracé que le pouls, qui était à 137, est tombé à 120 en deux jours, sous l'influence de deux injections, et qu'il est ensuite

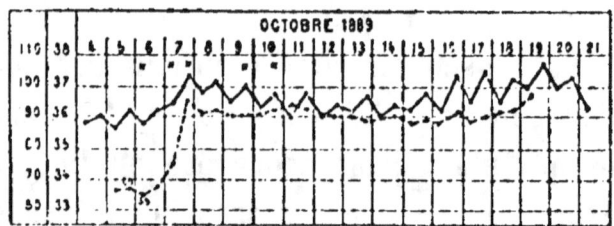

Fig. 1.

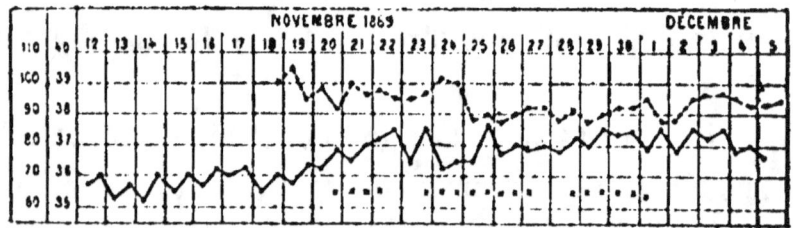

Fig. 2.

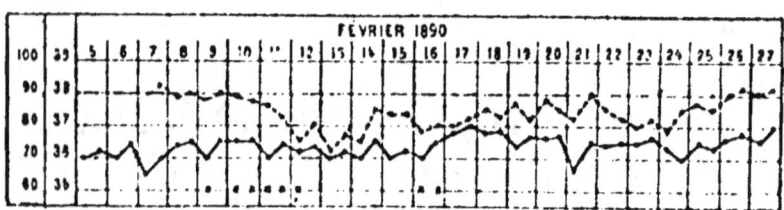

Fig. 3.

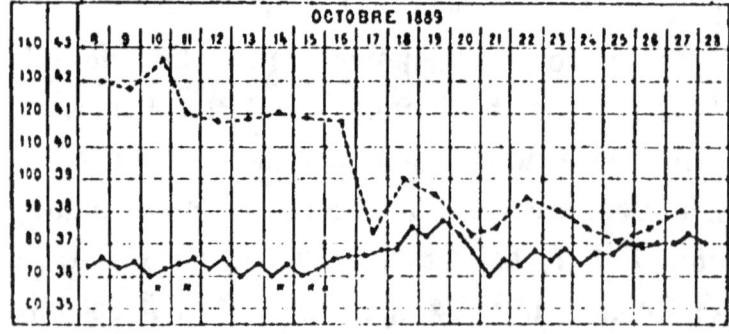

Fig. 4.

descendu de 120 à 83, sous l'influence de trois injections en deux jours.

M. Mairet dit, à l'égard du pouls et de la chaleur animale :

« 1° Que les injections du liquide testiculaire, employées dans quatre cas de stupeur lypémaniaque, ont régularisé la circulation. C'est ce que montrent les figures 1 (tracé obtenu chez la malade n° 2), 2 et 3 (malade n° 3), et 4 (cas non publié par M. Mairet). Dans ce dernier cas, le nombre des pulsations, qui se maintenait à 130 ou à peu près, est descendu à 120, 115, et après la cinquième injection entre 80 et 90. Dans le cas de la malade n° 3 (fig. 2 et 3), le pouls se régularisa progressivement en même temps que la température. Ainsi qu'on peut le voir (fig. 3), le pouls arriva même à se maintenir entre 72 et 78 pulsations et, en même temps, il devint plus énergique et plus régulier.

« 2° Que pendant toute la durée des injections le chiffre des pulsations a oscillé non loin de la normale. Les tracés montrent qu'il en a été ainsi.

« 3° Que l'action du liquide testiculaire se maintient plusieurs jours après l'injection. Tous les tracés le prouvent. Dans le cas de la malade n° 3, on peut voir (fig. 3) que l'amélioration du pouls a continué longtemps.

« 4° Que, lorsque la température était au-dessous de la normale, le liquide testiculaire a eu pour effet de la rapprocher de son type normal. »

M. Bosc m'écrit que le pouls du malade n° 4 a été remarquable par la diminution et la disparition finale des intermittences. Plusieurs médecins américains (les Dʳˢ Hammond et Brainerd en particulier) ont constaté que l'injection du liquide testiculaire améliore les pulsations cardiaques et fait cesser les intermittences.

Des faits observés par M. Variot, en particulier chez un vieillard de quatre-vingt-un an, il est clair que le liquide testiculaire améliore la circulation lorsque le cœur est atrophié ou affaibli par des dépôts graisseux ou d'autres causes. Il est évident que ces résultats sont obtenus par l'augmentation des puissances de la moelle épinière et du bulbe.

Congestion chronique du cerveau.

M. X..., cinquante-deux ans, officier supérieur, m'adressait, à la date du 1ᵉʳ avril 1891, la note suivante, que je transcris textuellement :

A la suite d'excès de travail et peut-être d'excès d'autre sorte, j'ai été subitement atteint, au commencement de 1889, de maux de tête, de congestion, de vertiges, etc.,

20.

qui m'ont obligé à un repos complet. En même temps,
j'éprouvais une petite difficulté de parler qui augmentait de jour en jour. Plus tard, les maux de tête ont
diminué, mais, par contre, j'éprouvais dans tous les
membres comme des douleurs rhumatismales, des con-
tractions musculaires, des crampes; en même temps,
l'embarras de la parole augmentait. Après plusieurs
transformations successives, depuis deux ans de maladie, j'éprouve maintenant les symptômes suivants :

Lourdeur de tête continuelle, comme si la tête était
pressée dans un étau, embarras de la parole de plus en
plus prononcé, grande faiblesse dans la partie inférieure du corps qui rend presque impossible la marche
et l'équitation.

J'ai conservé toute mon intelligence, à part la mémoire qui a baissé, mais je me sens incapable d'un
travail suivi. Je sens parfaitement que le siège de ma
maladie est dans le cerveau.

J'ai épuisé jusqu'ici tous les remèdes qu'ordonnent
les médecins en pareil cas sans éprouver une améliora-
ration appréciable, et je me vois obligé, si cela continue, de briser ma carrière à la veille de passer général
et encore à la force de l'âge.

Sur mon conseil, M. X... vint à Paris et commença son traitement. Du 15 avril au 12 mai,
M. X... fit vingt-et-une séances et reçut soixante-
six injections de 1 centimètre cube de suc testiculaire au vingtième. L'amélioration se fit sentir
dès la première heure et progressa rapidement.
Le jour du départ de M. X.., je résumai ainsi en
sa présence et d'accord avec lui, la note sui-

vante, destinée à être remise au médecin qui devait continuer le traitement :

« Retour complet des forces, fermeté des muscles, disparition des douleurs dans les membres et dans les articulations, marche facile, légère, pendant plusieurs heures. La douleur de tête, qui a considérablement diminué, disparaît quelquefois entièrement pendant plusieurs jours de suite. La capacité de travail est entière, l'expérience tentée pendant quatre et cinq heures consécutivement, n'a pas provoqué la moindre fatigue. L'esprit est redevenu vif et gai ; la parole, quoique beaucoup plus libre, est encore un peu embarrassée. Ce que constate surtout M. X..., c'est l'impression d'un bien-être général qui lui fait trouver la vie bonne et lui rend, avec l'espoir, toute l'énergie de sa jeunesse. »

L'amélioration n'a pas été éphémère, la lettre de M. X... qui m'annonce son heureuse arrivée au terme de son voyage en est la preuve :

Je suis arrivé hier, un peu fatigué par l'orage. Aujourd'hui il n'y paraît plus et j'ai repris mon service sans difficulté. Lundi je reprendrai le traitement en suivant vos instructions.

Encore une fois, merci.

                                    X...

Le 21 mai, nouvelle lettre de M. X...

Monsieur le docteur,

J'ai recommencé le traitement lundi dernier, ainsi que cela avait été convenu entre nous. L'amélioration constatée à mon départ, non seulement se maintient, mais s'accentue. Je viens de faire quatre jours consécutifs de marche avec mon régiment sans fatigue, et le dernier jour nous avons reçu une pluie battante. J'avais les jambes trempées jusqu'aux os, et à la suite de cela je n'ai pas ressenti la moindre douleur. Par ce temps orageux, j'ai encore un peu d'embarras de la parole.

Voyant l'amélioration que j'avais éprouvée et surtout le retour de mes forces, un de mes amis se décide à essayer votre méthode. Je vous prie donc de lui adresser le plus tôt possible une boîte de dix ampoules de votre vaccin.

En terminant, permettez-moi de vous adresser une fois encore mes remerciements.   X...

Le 30 juin, le médecin qui administre à M. X... les injections de suc testiculaire, que celui-ci continue à prendre une fois par semaine, m'écrit la lettre suivante :

Monsieur et très honoré confrère,

Frappé des résultats si satisfaisants obtenus par vos injections de suc testiculaire de cobaye sur M. X.. et désireux de profiter de l'offre gracieuse que vous m'avez faite de mettre à ma disposition du liquide à employer sur des soldats que je soigne, je viens vous exposer la situation, etc., etc.

Quant à M. X..., tous les troubles dont il se plaignait ont disparu, sauf un léger embarras de la parole qui revient quelquefois sans cause appréciable, mais le sommeil et les forces sont revenus, plus de douleurs dans les membres, plus de maux de tête. La marche, l'équitation sont supportées comme aux plus beaux jours de la longue carrière militaire de M. X... La peau fonctionne et le travail intellectuel n'occasionne plus de lassitude.

Recevez, Monsieur et honoré confrère, etc.

Dr X***,

Médecin-major de 1re classe.

Congestion de la moelle épinière avec paraplégie consécutive.

Observation de M, Masseron, déjà citée (Voir page 27).

Ataxie locomotrice.

L'ataxie locomotrice a toujours pour origine soit un virus, comme le virus syphilitique, soit une diathèse, comme la goutte, le rhumatisme ou l'herpétisme, soit un poison, comme l'alcool ou le tabac. Les lésions anatomiques, qui caractérisent cette terrible maladie, sont l'atrophie et la sclérose des cordons postérieurs de la moelle épinière.

Jusqu'ici, les agents connus de la thérapeutique externe et interne, depuis l'hydrothérapie, l'électricité et les pointes de feu, jusqu'à la suspension, depuis l'iodure de potassium jusqu'au nitrate d'argent, ont toujours été d'une impuissance notoire.

La découverte de Brown-Séquard, après l'échec de la suspension, est devenue l'unique espoir des ataviques. Cette expérience, si consolante pour les malheureux dont les souffrances sont de tous les instants sera-t-elle justifiée par les résultats? La mise en pratique des injections sous-cutanées du suc testiculaire est encore beaucoup trop récentes pour qu'il soit permis d'y répondre par un nombre suffisant de faits probants : certes, l'action dynamogéniante, si puissante, si réelle, si directe que possède sur la moelle épinière le suc testiculaire, permet d'espérer la guérison des ataxiques. Quelques faits isolés sont même venus confirmer l'espoir, qui ne reposait encore que sur la théorie.

Mais, si nous ne perdons pas de vue l'origine de la maladie, nous comprendrons que, dans ce cas pathologique, comme dans beaucoup d'autres, l'action du suc testiculaire sur la moelle doit être combinée avec celle du médicament spécifique, qui s'adresse directement à la cause première. Alors, il pourra arriver, car déjà cela est survenu dans d'autres cas, que là où avait échoué l'iodure de potassium et le nitrate d'argent, ces mêmes

agents, administrés concurremment avec les
les injections du suc testiculaire, amèneraient la
guérison. C'est là ce qui se produit tous les jours
pour les affections tuberculeuses du poumon.

Les ataxiques ont raison d'espérer. Tous se
doivent à eux-mêmes et doivent à leurs semblables de tenter la cure. Mais qu'ils ne se bercent
pas de folles illusions, qu'ils ne croient pas que
quelques injections vont les guérir ou même les
améliorer ; qu'ils se rendent bien compte de la
nature des lésions anatomique qui sont la conséquence lente de leur mal et ils verront à quel
point un pareil miracle est impossible.

Il faut qu'ils entreprennent le traitement avec
la ferme volonté d'aller jusqu'au bout sans regarder en arrière. Ce n'est qu'avec de la persévérance qu'ils atteindront ce but, s'il est possible
de l'atteindre.

Je ne saurais donc trop leur répéter, même
après vingt, trente, quarante, cinquante et cent
séances : patience et encore patience, le traitement ne peut vous faire de mal, vous n'avez qu'à
gagner à son emploi.

Malheureusement, ces sages paroles sont rarement écoutées et les meilleures déterminations
disparaissent devant le résultat négatif de dix ou
quinze séances et quelquefois avant. Aussi, mal-

gré le nombre déjà respectable de vingt-quatre
ataxiques qui, depuis quinze mois, ont réclamé
nos soins, il m'a été impossible de me faire une
idée exacte des espérances qu'on peut fonder
légitimement sur l'usage des injections de suc
testiculaire dans l'ataxie locomotrice. Si les ataxiques veulent guérir, qu'ils aient, avant tout, le
courage de suivre pendant six mois la médcica-
tion des injections de suc testiculaire combinée
avec le traitement approprié à la cause qui a
déterminé leur mal.

*Observation d'un cas d'ataxie locomotrice guérie par
les injections sous-cutanées d'un suc retiré des
testicules de cobayes venant de mourir, par le
Dr Depoux.*

*(Communication faite, dans la séance du 30 mai 1891,
à la Société de biologie.)*

M. X..., ex-sergent maître d'armes, est venu me consulter le 1er mai 1890. Malade depuis décembre 1889, il
a été obligé par ordre d'entrer à l'hôpital militaire du
Val-de-Grâce. M. Du Cazal, médecin principal ayant
constaté l'existence de l'ataxie locomotrice et se trouvant impuissant à empêcher les accidents de croître de
jour en jour, a proposé la réforme, qui a été prononcée
le 22 avril 1890.

Avant d'examiner le malade, je lui demande de me
faire connaître les débuts de la maladie, son état au
moment de l'entrée à l'hôpital et les divers moyens
employés par le médecin traitant.

(A). *Débuts de la maladie.* — En décembre 1889, le malade, qui avait les ganglions du cou engorgés, s'est aperçu qu'il n'avait pas la marche aussi sûre, et que les services habituels qu'il demandait à ses jambes dans l'exercice de sa profession, n'avaient plus leur précision habituelle. En marchant il heurtait toujours le sol avec le talon en ramenant fortement, malgré lui, le pied en arrière, Il existait aussi à ce moment des taches rouges à la paume des deux mains ; le malade croyait que c'était des durillons.

Le manque d'équilibre dans la marche et dans les diverses positions qu'il était obligé de prendre ayant augmenté, le malade entra à l'hôpital.

(B). *État au moment de l'entrée à l'hôpital du Val-de-Grâce.* — Les désordres dans la marche sont encore plus accentués qu'au début. Le malade peut néanmoins monter encore en omnibus et en descendre sans faire arrêter, si l'allure des chevaux est un peu ralentie. C'est après une chute faite en descendant d'omnibus que le malade se décide à entrer à l'hôpital. Il lui était d'ailleurs déjà impossible à ce moment d'exercer sa profession de maître d'armes.

A son entrée à l'hôpital, on constate en plus : 1° l'abolition complète du réflexe rotulien ; 2° la diminution très grande (presque la disparition) de la puissance des organes génitaux ; 3° l'impossibilité de se tenir debout, sur une jambe, les yeux fermés.

Pendant son séjour à l'hôpital, le malade est soumis à une observation rigoureuse qui fait reconnaître : 1° que le malade ne se rend pas compte de la position où se trouvent ses jambes, quand il est au lit ; 2° qu'il n'y a pas paralysie, puisqu'un stagiaire très musclé n'a pas pu ployer la jambe étendue du malade en employant toutes ses forces ; 3° que les yeux sonts intacts, l'exa-

men en a été fait par M. le médecin principal Chauvel ;
4° que les accidents observés à la paume des mains
sont de nature syphilitique.

(C). *Traitement suivi à l'hôpital.* — L'hydrothérapie
sous forme de douches, les pointes de feu sur la colonne
vertébrale, la pendaison (trois fois seulement) et l'iodure de potassium, voilà les moyens employés à l'hôpital militaire du Val-de-Grâce.

L'iodure de potassium a été donné, dès le début, à la
dose de 4 grammes, et l'on est arrivé en augmentant
chaque jour de 50 centigrammes, à la dose quotidienne
de 14 grammes qui a été administrée pendant 17 ou 18
jours consécutifs.

Le malade allant de mal en pis, malgré ce traitement
fut réformé.

(D). *État du malade le 1ᵉʳ mai lorsqu'il se présente à
moi.* — Le malade, étant sur la chaussée, ne peut plus
monter sur le trottoir. Il ne peut plus marcher qu'en
s'appuyant d'une main sur une canne et de l'autre sur
le bras de la personne qui l'accompagne. Quand il est assis
c'est avec la plus grande difficulté qu'il se lève en s'ai-
dant de sa canne et en donnant la main à quelqu'un. Il
lui est impossible de tenir debout, les yeux fermés, les
jambes écartées ou rapprochées. Il a journellement des
crampes dans les mollets ; il y a anesthésie de la plante
des pieds, abolition complète du réflexe rotulien, impuissance absolue des organes génitaux. En outre : la
paume des mains et les doigts sont le siège de picote-
ments et de tremblements ; la lèvre inférieure et la
supérieure sont insensibles ; la vue est un peu faible.
Le malade dit avoir éprouvé quelquefois des douleurs
fulgurantes dans les genoux.

(E). *Traitement par les injections sous-cutanées d'un
suc retiré des testicules de cobayes, venant d'être tués*

— Les professeurs de l'Ecole de médecine militaire du Val-de-Grâce ont une réputation scientifique justement méritée. Avant de proposer un soldat pour la réforme, ils le soumettent toujours à une observation sévère, minutieuse. Je me trouvais justement en présence d'un malade reconnu incurable par M. Du Cazal, médecin principal de l'armée, professeur à l'École du Val-de-Grâce, ainsi que par les Membres de la Commission spéciale de réforme de la subdivision de Paris.

J'étais entièrement de l'avis de ces honorables confrères. Néanmoins étant donné les guérisons vraiment étonnantes que j'ai déjà obtenues par les injections sous-cutanées d'un liquide retiré des testicules de cobayes, je commençai, séance tenante, ce traitement que l'on doit aux travaux de M. Brown-Sequard.

Pendant trois semaines, du 1er au 21 mai, une injection d'un centimètre cube est faite deux fois par semaines; du 22 mai à la fin de juillet, une injection d'un centimètre cube trois fois par semaine. Pas d'injection durant tout le mois d'août.

Pendant ce temps, chaque jour, voltaïsation ascendante de la colonne vertébrale; 10 milliampères pendant trois minutes.

Du 1er septembre au 20 octobre, j'ai fait une injection tous les deux jours. Au 20 octobre j'ai cessé tout traitement.

Une heure après chaque injection, le malade se trouvait toujours plus fort. Dès la première injection, il a ressenti les bons effets de ce traitement; à la quatrième injection il a eu un peu de fièvre; au niveau de la piqûre, on remarquait un gonflement et une rougeur de 5 à 6 centimètres de diamètre.

A la fin de juin, le malade pouvait commencer à se baisser, à se fendre et à bêcher. Il pouvait faire seul des promenades d'une heure.

Le 14 juillet, il a pu marcher pendant 5 heures consécutives. A la fin d'octobre, il commençait à donner des leçons d'armes. Tous les jours, il travaillait à la salle le matin et l'après-midi. Au mois de décembre dernier, il prenait part à un assaut public, et depuis cette époque, toutes les trois semaines il constatait des progrès sensibles.

Depuis le 7 février (jour de l'assaut annuel de sa salle), le malade dit que ses forces ont augmenté de plus d'un quart. Pour lui, il se sent aussi fort et aussi bien portant qu'avant d'être malade. Il a retrouvé tous les moyens qu'il avait auparavant comme tireur et comme professeur d'armes. Il peut faire et il a fait ces temps derniers jusqu'à huit, dix et même douze assauts d'armes consécutifs, en un jour. Il sent simplement que la jambe gauche est un peu moins forte que la jambe droite. De plus, je constate que le réflex petit rotulien n'est pas tout à fait revenu à son intégrité normale.

Ce résultat qui se passe de tous commentaires, a été obtenu en 4 mois et demi de traitement, et il y a sept mois que le traitement est terminé.

Remarques sur le cas de guérison d'ataxie présentées par M. Depoux, par M. Laveran.

Dans la dernière séance, M. le Dr Depoux nous a présenté un tabétique qui a guéri à la suite d'un traitement par les injections de suc testiculaire.

La guérison du tabes est chose si exceptionnelle qu'on devait naturellement se demander s'il ne s'était pas agi dans ce cas d'un pseudo-tabes ; cette interprétation a été en effet proposée par M. le Dr Déjerine.

J'ai pensé qu'il serait intéressant de savoir quels

avaient été les symptômes constatés lors du séjour
que B..., a fait au Val-de-Grâce en 1890 ; mon collègue
le professeur Du Cazal, dans le service duquel le malade
se trouvait à cette époque, a bien voulu me remettre la
note suivante :

« B..., vingt-trois ans, maître d'armes, entré à l'hôpital du Val-de-Grâce, le 27 janvier 1890. Père et mère
bien portants ; une sœur très nerveuse, très impres-
sionnable, mais qui n'a jamais eu d'attaque de nerfs.
Il ne paraît pas y avoir eu dans la famille de maladies
du système nerveux.

« C'est vers la fin de novembre 1889 que B... a ressenti les premiers effets de son mal qui s'est manifesté
d'abord par des douleurs siégeant aux bras et aux jambes, ces douleurs n'avaient pas le caractère de douleurs
fulgurantes, elles ressemblaient plustôt à des névralgies.

« Peu de temps après, B... fut atteint d'une grippe
légère. Les douleurs névralgiques disparurent alors et
firent place à des fourmillements assez forts siégeant
surtout dans les membres inférieurs ; en même temps,
le malade éprouvait dans la marche une gêne qui allait
en augmentant, et qui l'obligeait bientôt à entrer à
l'hôpital.

« Au moment de l'entrée au Val-de-Grâce (27 janvier
1890), on constate ce qui suit : le malade est anémié,
es muqueuses sont décolorées, il n'y a pas de souffle
au cœur.

« La marche est celle de l'ataxique : le malade pro-
jette les pieds en avant et un peu en dehors et les laisse
retomber lourdement en frappant le sol du talon ; la
marche les yeux fermés est tout-à-fait impossible. Si
on fait asseoir le malade et qu'on lui ordonne de se
lever et de marcher, il ne se met en route qu'après un
instant d'hésitation pendant lequel on le voit faire un
effort pour reprendre l'équilibre. De même, si on lui
recommande pendant la marche de faire demi-tour, il
écarte les jambes et n'exécute le mouvement qu'avec
une certaine lenteur et une certaine difficulté.

« La station debout est impossible lorsque les pieds
sont rapprochés et les yeux fermés ; il est également

impossible au malade de se tenir en équilibre sur un
pied même les yeux ouverts, bien qu'il n'y ait pas de
paralysie ; les muscles se contractent avec force.

« Absence complète, absolue, des réflexes rotuliens.

« Pas de phénomènes viscéraux autre qu'une certaine gêne dans la miction.

« Aucun trouble de la sensibilité. Pas de douleurs
fulgurantes.

« L'examen des yeux faits par M. le professeur Chauvel, ne révèle qu'un léger degré de myopie.

« L'incoordination motrice, l'existence des signes de
Romberg et de Westphal, et la gêne de la miction ne
nous paraissent pas laisser de doute sur le diagnostic
de tabes.

« Le malade est soumis à un traitement spécifique
pendant 40 jours (frictions avec la pommade mercu-
rielle, 10 gramme par jour ; iodure de potassium, 12
grammes par jour).

« Malgré ce traitement l'état reste stationnaire, l'anémie seul diminue.

« L'hydrothérapie et les cautérisations ponctuées le
long du rachis ne donnent pas de meilleurs résultats.
L'état du malade est absolument stationnaire, c'est
alors que B... est proposé pour la réforme ; il quitte
l'hôpital du Val-de-Grâce, le 16 mars 1890. »

Il résulte de cette note que le malade a présenté, pendant toute la durée de son séjour au Val-de-Grâce,
trois des symptômes les plus caractéristiques du tabes:
l'incoordination motrice à un degré très prononcé,
le signe de Romberg et le signe de Westphal. Le diagnostic de tabes s'imposait à ce moment, et si aujour-
d'hui on parle de pseudo-tabes, il faut bien avouer que
c'est uniquement parce que la maladie s'est terminée
par la guérison.

Faut-il admettre que quand un tabétique s'est guéri,
c'est là une raison suffisante pour changer le diagnostic et pour dire qu'il s'agissait d'un pseudo-tabes?
Nous ne le pensons pas.

L'existence d'un pseudo-tabes pouvant se produire

indépendamment de toute prédisposition nerveuse et
empruntant au tabes vrai ses symptômes les plus caractéristiques, à ce point que le diagnostic ne peut plus
reposer que sur la terminaison de la maladie, serait
très importante à établir, mais ne nous paraît pas avoir
été suffisamment établie jusqu'ici.

Quant à la médication employée par M. le Dr Depoux,
il sera assez facile de juger de sa valeur dans le tabes ;
les tabétiques disposés à se soumettre aux injections ne
manquent pas, et si vraiment ces injections sont efficaces, les faits de guérison ne tarderont pas à se multiplier.

Remarques à l'occasion du fait de guérison d'ataxie
locomotrice, communiqué par M. Depoux, par
M. Brown-Séquard.

La question de savoir si l'ataxie locomotrice,
avec son cortège symptomatique prémonitoire et
les manifestations morbides, peut disparaître, le
malade n'ayant plus que fort peu de troubles, ou
étant même complètement guéri, peut certainement être résolue par l'affirmative. J'en ai vu,
pour ma part, deux cas très remarquables où tous
les symptômes ont disparu à bien peu près complètement ; dans l'un d'eux, sous l'influence de
vésicatoires circulaires aux jambes et aux cuisses ;
dans l'autre, après un emploi prolongé d'atropine
et de seigle ergoté.

Les lettres que j'ai reçues de nombre de médecins et les publications faites en Amérique, en

Russie et ailleurs depuis l'apparition de ma première note sur les injections testiculaires, dans les *Comptes rendus de la Société*, en 1889, montrent que l'ataxie locomotrice a pu être guérie, d'une manière plus ou moins complète, sous l'influence du liquide testiculaire sur la moelle épinière. En ne prenant que les cas observés avec le plus de soin, j'en trouve cinq où le résultat du traitement a été obtenu. Je ne puis pas dire exactement quel a été le nombre de cas où le traitement a été inefficace. On ne parle guère, malheureusement, des échecs que l'on subit, et je n'en connais positivement que huit : il y en a eu sans doute beaucoup d'autres. Je laisse de côté nombre d'observations où des améliorations plus ou moins marquées, ou plus ou moins durables, ont été signalées (1).

Je ne sache pas que dans aucun cas la guérison ait été aussi parfaite que chez le sujet montré à la Société par M. Depoux. Il ne reste, en effet, chez ce maître d'armes, aucun des symptômes qui avaient existé à un si haut degré, excepté cependant à l'égard du réflexe rotulien,

---

(1) Le Dr Variot m'a remis ces jours-ci des notes sur trois cas d'ataxie abétique, qu'il est en train de traiter par les injections testiculaires. Bien que le nombre de ces injections soit encore très insuffisant, un de ces malades va déjà beaucoup mieux.

qui, bien qu'il soit revenu à un degré notable, n'a
pas encore toute l'énergie de l'état normal. Mais
l'ataxie a cessé, la sensibilité est revenue (il est
même arrivé à cet égard, ce qui n'est pas rare
après de l'anesthésie, c'est qu'il y a un peu d'hyperesthésie tactile aux membres inférieurs). Le
sens musculaire, dans tous modes, est parfait aux
quatre membres. La puissance sexuelle, qui avait
été complètement perdue, est revenue à son état
normal. Les muscles des membres inférieurs qui
étaient un peu atrophiés, sont maintenant énormes et d'une densité considérable, comme avant
la maladie. Leur vigueur, exceptionnellement
grande, l'est tout autant maintenant qu'avant les
premiers symptômes de l'ataxie.

Ce maître d'armes a-t-il encore la lésion que
l'on sait être liée à l'ataxie tabésique? Il y a au
moins un cas dans la science où un individu
atteint d'ataxie en a été guéri par l'élongation du
nerf sciatique, malgré la persistance de la lésion
caractéristique du tabes ataxique, constatée après
la mort par une autre affection. Ce fait est incontestable, puisqu'il a été publié par mon ancien
élève, aussi regretté qu'éminent, le professeur
Westphal, de Berlin. Il est donc possible que chez
le jeune homme montré par le Dr Depoux, les
injections de liquide testiculaire aient modifié

l'état dynamique de la moelle épinière et fait ainsi
cesser les manifestations morbides sans faire disparaître l'altération organique de ce centre nerveux. C'est là ce que nous voyons souvent pour
d'autres lésions de l'encéphale ou de la moelle
épinière, et surtout pour celles qui produisent de
l'anesthésie, qui, ainsi qu'on le sait, peut disparaître complètement, malgré la persistance inté-
grale de la lésion qui l'avait produite.

Je crois devoir ajouter que non seulement,
d'après l'affirmation décisive de M. Depoux, qui a
connu le jeune homme, que la Société a vu avant,
pendant et depuis sa maladie, mais aussi d'après
ce que j'ai pu moi-même constater ou apprendre,
cet intelligent maître d'armes n'a pas été et n'est
pas un névrophate.

————————

*Observations personnelles de l'auteur communiquées à la
Société de biologie (Séance du 8 décembre 1890).*

Quatre ataxiques ont été soignés par moi avec
la méthode des injections de suc testiculaire;
trois de ces malades ont abandonné le traitement
après une série de séances variant de six à dix et
n'ont obtenu aucun soulagement.

Le quatrième a persisté.

Ce malade en est aujourd'hui à sa vingt-quatrième séance et chaque fois il a reçu dix injections de un centimètre cube de liquide testiculaire. Je n'ai obtenu aucune amélioration bien appréciable dans la solidité de la marche, mais pourtant les effets du traitement, à d'autres égards, m'encourageaient à persévérer.

Voici ce que j'ai observé :

OBSERVATION I

1° Reprise complète de l'appétit après les cinq premières séances.

2° Retour du sommeil.

3° Disparition complète de la douleur en corset, si pénible dans certaines affections médullaires, et cela après la deuxième séance.

Je suspends les séances après la dixième pendant cinq semaines, la douleur revient. A la reprise de la deuxième série, la douleur disparaît à nouveau et presque immédiatement, pour reparaître seulement une fois ou deux depuis un mois.

Le sommeil et l'appétit continuent à être excellents, le malade engraisse, l'état général s'améliore.

4° Depuis une dizaine de jours, le malade sent toutes les piqûres de l'aiguille et l'injection est douloureuse. Jusque-là, il avait été complètement insensible aux injections qui provoquent chez tous ceux qui sont soumis au traitement une douleur légère :

5° Depuis quelques jours seulement, le pied perçoit nettement la qualité du sol sur lequel il repose.

6° Enfin, le malade qui faisait douze à quinze injections de morphine par vingt-quatre heures au moment où il a commencé les injections de suc testiculaire, n'en fait maintenant qu'une seule par jour.

Ce malade a été traité régulièrement pendant dix-huit mois par la suspension sans le moindre succès. (Dr GOIZEL.)

Je continue à observer ce malade avec le plus grand intérêt, et je me propose de publier son cas dans ses moindres détails quand l'observation sera complète. Mais dès à présent elle permet de dire que les médecins qui essaieront la méthode des injections de liquide testiculaire ne devront pas se décourager s'ils n'obtiennent pas toujours au début du traitement le résultat qu'ils cherchent.

OBSERVATION II

M. G..., notaire, quarante-trois ans, est atteint d'ataxie locomotrice confirmée depuis cinq ans. Des habitudes d'alcoolisme et des accidents syphilitiques remontant à douze ans sont les causes probables de la maladie. Le diagnostic a été posé par cinq médecins, parmi lesquels je citerai Charcot et Alfred Fournier. L'iodure de potassium à haute dose, les frictions mercurielles, l'hydrothérapie, les pointes de feu, les eaux de Lamalou et la suspension, tels ont été les moyens employés par M. G... depuis cinq ans, sans que la marche de la maladie ait pu être enrayée un seul instant.

Au commencement d'octobre 1890, M. G... s'adressa à moi pour suivre un traitement par les injections sous-cutanées de suc testiculaire. A ce moment, je constate les symptômes suivants :

1° Impossibilité de marcher sans l'appui d'un bras, d'un meuble ou de la muraille, de se tenir debout les yeux fermés; par contre, possibilité de fléchir et d'étendre les membres.

2° Strabisme, rétention d'urine, constipation opiniâtre, secousses convulsives dans les membres.

3° Douleurs fulgurantes atroces dans les cuisses et dans les talons, perte absolue de sens génésique, anesthésie de la peau.

4° Appétit irrégulier mais très faible en somme, sommeil presque nul. Amaigrissement considérable. M. G..., qui pesait au début de sa maladie soixante-quinze kilogrammes, n'en pèse plus aujourd'hui que cinquanteneuf.

Le 9 octobre, je commence le traitement à raison de trois injections d'un centimètre cube de suc testiculaire au vingtième tous les deux jours pendant un mois, soit quinze séances et quarante-cinq injections. Je n'obtiens pas la moindre amélioration. M. G... suspend le traitement et, découragé, retourne en province.

A la fin de 1891, souffrant plus que jamais, il se décide à reprendre le traitement que nous recommençons le 28 mars. Cette fois, sur mes instances, M. G... est bien résolu à suivre la médication pendant six mois, voulant, dit-il, en avoir le cœur net. A la fin d'avril, nous en étions à la dix-huitième séance, sans avoir obtenu de résultat. Je conseille alors l'emploi simultané de l'iodure de potassium à la dose de six grammes par jour et des injections séquardiennes à la dose de deux centimètres cubes tous les deux jours. Le 14 juin, M. G... accuse une diminution très appréciable dans les douleurs fulgurantes; il dort beaucoup mieux, la puissance génésique commence à revenir, l'équilibre est moins instable. Je constate d'une façon certaine que mon malade est moins désordonné dans sa marche et qu'il montre plus d'assurance. A partir de ce jour, le mieux, déjà bien réel, augmente rapidement; les douleurs ont com-

plètement disparu le 25 juin, et le 1ᵉʳ juillet M. G..,
marche seul avec l'aide d'une canne. Il peut écrire,
lire, la sonde devient inutile et l'urine s'écoule libre
ment sous la puissance de contraction de la vessie; les
garde-robes ont lieu sans lavement. La sensibilité de la
peau revient, le malade reprend de l'embonpoint. Aujourd'hui, 31 juillet, M. G... marche sans canne. S'il
jette encore le pied en avant, il n'a plus peur dans la
rue, qu'il traverse sans hésitation. Le strabisme subsiste
à peine ; les douleurs fulgurantes ont complètement disparu dans les cuisses et ne se font ressentir qu'à de rares
intervalles et avec beaucoup moins d'intensité dans les
talons. Nous marchons à grands pas vers la guérison,
depuis deux mois que nous avons inauguré le traitement mixte, — iodure de potassium et injections de suc
testiculaire. — Pendant ces deux mois, soixante et une
séances de suc testiculaire ont eu lieu, et 350 grammes
d'iodure ont été administrés.

Mon intention est de continuer ce traitement sans
interruption tant que nous gagnerons du terrain sur
l'ataxie, puis de suspendre ensuite pendant un ou deux
mois et de reprendre après ce temps de repos.

M. G... retourne aujourd'hui en province, où il con-
tinuera le traitement avec le suc testiculaire conservé
dont il a fait provision à l'institut de la rue de Berri.
(Dʳ GOIZET.)

Cette observation est encore bien récente, et il
serait téméraire de conclure sur un fait isolé.
Mais je vois là un encouragement à continuer les
expériences dans le même ordre d'idées, et il
est permis d'espérer que ce qui a été obtenu chez
M. G... nous l'obtiendrons sur d'autres malades

s'ils ont, comme nous leur conseillions tout à
l'heure, la patience de persévérer dans le traitement.

Hémiplégie.

*Communication du Dr Goizet à la Société de biologie,
dans sa séance du 8 novembre 1890. (Observation V,
pages 105· et 106 des Comptes rendus commençant
par ces mots : « Le cas de M. C... »)*

OBSERVATION I

Le cas de M. C..., âgé de cinquante et un ans, demeurant à Levallois-Perret, est curieux. Le succès, dans ce
cas, est-il dû aux injections de liquide testiculaire, est-
il dû à la suggestion? Je n'en sais rien. Toujours est-il
que le traitement a produit, à deux reprises différentes,
un effet qui tient du miracle.

Après la première communication de M. Brown-
Séquard, M. C..., qui était alors affligé d'une hémiplégie
remontant à quelques mois, pria son médecin, M. le
docteur Guéneau, de Levallois, de le soumettre au nouveau traitement. Mon confrère pratiqua chaque jour,
pendant quatre jours, plusieurs injections de liquide
testiculaire. Au bout de quatre jours, le succès était
complet et M. C... marchait sans canne.

Mais toutes les piqûres ayant amené des abcès énormes, le malade et le médecin abandonnèrent le traitement.

Néanmoins, M. C... conserva le mieux acquis pendant
deux mois et demi.

Au mois d'août dernier, M. C... ayant appris que je
pratiquais les injections de suc testiculaire m'écrivit
pour me demander si je consentirais à le soigner, et, sur

ma réponse affirmative, il se fit apporter chez moi, car il lui était complètement impossible de monter l'escalier.

Je commençai le traitement le jour même et, comme la première fois, après quatre séances de trois injections chacune, le malade marchait sans bâton, et si bien, que c'est à peine s'il traînait la jambe. Ce mieux persiste. Continuera-t-il longtemps? L'avenir nous le dira, si M. C... veut bien me tenir au courant.

OBSERVATION II

Mme la comtesse de C..., cinquante-huit ans, avait été frappée d'apoplexie cérébrale, il y avait trois semaines. La paralysie était complète du côté droit, la perte de connaissance était absolue, et depuis l'accident, la paralytique qui était dans un état comateux constant, n'avait pas proféré une seule parole ni avalé une goutte de liquide. Les mucosités encombraient les bronches et l'expulsion en était impossible. La mort était imminente.

Sur la demande du mari et du fils de la malade, je pratiquai le soir même trois injections d'un centimètre cube de suc testiculaire, au dixième, et je répétai cette dose les jours suivants, chaque jour, pendant six jours.

Le sixième jour, Mme de C... reconnut les personnes qui l'entouraient; le lendemain, septième jour du traitement, elle parlait de façon à ne laisser aucun doute sur sa lucidité. Chaque jour fournissait la preuve irrécusable que la vie revenait. Le vingtième jour, Mme de C... expulsait facilement les mucosités qui encombraient les voies respiratoires, buvait chaque jour deux à trois litres de lait, et le vingt-cinquième jour elle remuait la jambe. Le mieux s'accentuait de plus en plus, lorsque le quarante-cinquième jour après le commencement du traitement, une nouvelle attaque emporta Mme de C..

en quelques heures. J'avais fait en tout dix-huit séances.

Il a été manifeste pour tous ceux qui ont assisté à ce traitement, que les injections de suc testiculaire ont procuré à Mme de C... une survie de quarante-cinq jours.

OBSERVATION III

(Cas de paralysie renvoyé à Observation VI, page 264.)

———

CHAPITRE VII

Grandes névroses.

---

*Hystérie, catalepsie, épilepsie, éclampsie, chorée,
paralysie agitante, hypocondrie.*

Toutes les fois qu'il s'agit de régulariser les
fonctions troublées du système nerveux, sans
qu'il y ait altération organique de l'élément anatomique, l'usage du suc testiculaire est indiqué,
et ses effets bienfaisants ne tardent pas, généralement, à se faire sentir.

Les observations qui suivent suffiront à le démontrer.

OBSERVATION I

M. G..., banquier, quarante-cinq ans, éprouva dans le
cours du mois de septembre 1890, le contre-coup d'une
véritable catastrophe. Il perdit, emportés par la fièvre
typhoïde, sa femme et son unique enfant. Au même
moment, sa fortune engagée dans une spéculation finan-
cière se trouva fort compromise ; un procès important
exigea la rédaction d'un long mémoire et par suite un

surcroît de travail pour lequel M. G... dut consacrer presque toutes ses nuits pendant plus d'un mois. Surmené de toutes façons, il tombe un jour dans la rue, frappé d'une congestion cérébrale dont il se remet au bout de 15 jours. Mais, à partir de ce moment, des vertiges se manifestent à de courts intervalles, les malaises les plus variés se succèdent; le cerveau semble traversé par une barre, les pupilles sont dilatées, les bâillements, les nausées, les palpitations de cœur, la dyspnée font à M. G... la vie intolérable.

Cependant tous ces troubles disparaissaient assez vite et complètement dès que le malade s'étendait sur son lit. Cet état ne fit qu'empirer jusqu'au mois de décembre, malgré le repos de tout travail, le séjour à la campagne et une médication bien appropriée.

C'est à cette époque, 4 décembre 1890, que M. G... commença le traitement. Le 31 janvier 1891, moins de deux mois après la première injection, le banquier retournait chez lui, dans un parfait état de santé, qui ne s'est pas démenti un seul instant depuis. 18 séances et 16 injections d'un centimètre cube de suc testiculaire au vingtième avaient suffi, sans le secours d'aucune autre médication pour amener ce résultat remarquable. (Dr GOIZET.)

OBSERVATION II

M. X... ataxique depuis une année environ, est atteint de *priapisme nocturne* qui se renouvelle chaque nuit pendant 5 ou 6 heures. Cet état, résultat de la maladie, est non seulement gênant, mais devient à la longue très douloureux et même intolérable. Après six séances de deux injections sous-cutanées d'un centimètre cube de suc testiculaire, le phénomène morbide cesse pour ne plus reparaître depuis.

Cette observation nous montre mieux que beaucoup d'autres, que l'action du suc testiculaire sur la moelle est surtout une action régulatrice et dynamogéniante, qui se manifeste tout aussi clairement; en rendant aux organes génitaux affaiblis leur puissance physiologique normale, qu'en tempérant l'excitation de ces mêmes organes dont les fonctions ont été déséquilibrées par la maladie.

OBSERVATION III

Mademoiselle T..., vingt-deux ans, est atteinte d'hystérie depuis 7 ans. Plusieurs fois par mois, à la moindre contrariété, éclate la grande attaque avec tous ses symptômes, tels que les décrit le professeur Charcot. Dans les intervalles qui séparent les grandes attaques, la douleur ovarienne et deux ou trois autres clous hystériques, la sensation de la boule ascendante, les palpitations de cœur, la dyspnée, la strangulation, le rire sans motif alternant avec les larmes, etc., etc., existent presque constamment.

Le 3 janvier 1891, je soumets Mlle T..., au traitement par les injections sous-cutanées de suc testiculaire, à la dose d'un centimètre cube par jour. A la fin de la première semaine de traitement, les crises étaient plus intenses et plus rapprochées. La malade était dans un [état de surexcitation extrême. J'éloignai alors les séances en faisant une seule séance chaque semaine; mais j'injectai 3 centimètres cubes de liquide au lieu d'un. Mlle T... n'a pas eu une seule grande attaque jusqu'au 5 février, et l'état nerveux s'est montré beaucoup plus calme. Le 5 février, sous l'influence d'une vive contrariété, la grande attaque éclate, mais elle est

moins longue et moins intense. Je continue le traitement jusqu'au 5 avril, en portant la dose de suc testiculaire à 4 centimètres cubes injectés tous les cinq
jours.

Depuis six mois Mlle T... n'a pas eu une seule grande
attaque et toute manifestation hystérique a disparu à
peu de chose près. (Dr GOIZET.)

Pendant toute la durée du traitement par les
injections sous-cutanées de suc testiculaire,
Mlle T... n'avait pris aucun autre médicament. Je
m'étais contenté d'ordonner des promenades au
grand air pendant plusieurs heures et une douche
tiède en pluie, tous les jours.

L'hystérie est une des névroses qui exigent le
plus de tact de la part du praticien pour le dosage
des injections. Si le succès est long à se dessiner,
s'il y a parfois même une recrudescence dans l'intensité et le nombre des attaques, ce n'est pas
une raison pour se décourager. Une simple modification dans le mode d'administration suffit quelquefois, ainsi que le prouve l'observation précédente, pour amener une prompte amélioration.

Plusieurs fois il m'est arrivé de voir, après une
période de surexcitation, le calme se rétablir de
lui-même sans changer ni les doses ni le mode
d'administration.

OBSERVATION IV

M. X..., vingt-neuf ans, employé de bureau, a deux ou trois fois par mois, au moment où il y pense le moins, tantôt à son bureau, tantôt dans la rue, mais le plus souvent la nuit, une attaque convulsive sur la nature de laquelle, les divers éléments symptomatologiques ne laissent planer aucun doute : c'est de l'épilepsie. La médication bromurée combinée avec les purgatifs avait dans les premières années, — ces crises datent de 14 ans, — éloigné les crises et même diminué leur intensité. Mais, depuis cinq ou six ans, ces agents thérapeutiques ont perdu leur action malgré la dose énorme à laquelle M. X... était arrivé progressivement.

En novembre 1890, M. X... me pria de le soumettre à la méthode Brown-Séquard. Du 16 novembre 1890 au 31 mai 1891, M. X... reçut régulièrement deux fois par semaine, trois injections d'un centimètre cube de suc testiculaire au vingtième. C'est-à-dire 52 séances et 156 injections. Dans cette espace de six mois et demi, il y eut quatre attaques, deux dans le mois de novembre, la troisième, le 8 décembre, et la quatrième le 26 janvier Depuis le 26 janvier jusqu'au 31 juillet, le malade a bien eu quelques craintes, quelques avertissements, mais il n'est pas tombé une seule fois. Le 31 juillet, c'est-à-dire deux mois après la suspension complète des injections, M. X... eut une attaque très courte, très faible et pendant laquelle, fait important, il y eut ni perte absolue de connaissance, ni émission d'urine.

M. X... a repris le traitement depuis le 3 août et aucune manifestation nouvelle n'a eu lieu.

M. X... et un autre malade chez lequel je fis une vingtaine d'injections, sont les deux seuls cas d'épilepsie que j'ai personnellement traités par les injections sous-

cutanées de suc testiculaire. Mes deux malades ont
obtenu des résultats assez satisfaisants pour m'encourager à continuer mes essais; j'engage mes confrères à
suivre mon exemple. (Dʳ Goizet.)

OBSERVATION V

La jeune H. K..., dix-huit ans, a la danse de Saint-
Guy depuis quatre ans. Les règles ont fait leur apparition il y a trois ans et demi et n'ont pas reparu
depuis. Cette jeune fille est peu développée pour son
âge, mange par caprice et fort peu, en somme.

Le désordre des mouvements est poussé à un point
extrême. Mˡˡᵉ H. K... marche avec la plus grande difficulté, sans direction, ne peut rien tenir avec ses mains,
porte à grand'peine son verre ou sa fourchette à sa
bouche, fait les grimaces les plus hideuses, etc., etc.

Je commence le traitement le 2 avril 1891 par une
injection d'un centimètre cube de suc testiculaire au
vingtième, et je continue avec la même dose répétée
tous les deux jours. Après vingt jours de traitement et
dix injections, la malade était mieux. Le 28 avril, les
règles revenaient, l'amélioration était manifeste pour
tout le monde.

Le 25 mai, Mˡˡᵉ H. K..., qui était depuis dix jours à
peu près débarrassée de sa névrose, eut une nouvelle
recrudescence des symptômes. Mais ceux-ci disparurent
trois jours après, en même temps que les menstrues
revenaient fortes, trente jours après leur première
réapparition.

Depuis ce moment, la danse de Saint-Guy n'a pas
reparu, les règles sont revenues deux fois aux époques
prévues, et Mˡˡᵉ H. K..., qui s'est développée rapidement, paraît en parfaite santé. Cinquante-deux injections ont été pratiquées en quatre mois. (Dʳ Goizet.)

OBSERVATION VI

M. S..., soixante-cinq ans, avocat, est atteint de paralysie agitante depuis cinq ans. Au mois de janvier 1891,
quand M. S... vient me consulter, je constate que le
tremblement existe dans tous les membres, mais plus
accusé à gauche, forme hémiplégique. L'écriture, avec
ses jambages de lettres irréguliers et ténus, mais limités
dans leur amplitude, est caractéristique. Les mouvements sont lents et embarrassés. Les muscles du cou,
de la nuque, des membres sont rigides et souvent le
siège de crampes. Le corps est fortement porté en
avant, la face est immobile; quand M. S... se lève, on
dirait qu'il est mû par un ressort; il a un besoin inces-
sant de marcher, de changer de place. Dans la marche,
le corps est poussé en avant.

Vingt-cinq séances d'injections sous-cutanées de trois
centimètres cubes de suc testiculaire au vingtième, pratiquées en deux mois, ont amené une rémission très
appréciable dans les divers symptômes que je viens
d'exposer. L'écriture s'est particulièrement ressentie
des bons effets du traitement. M. S..., qui pouvait à
peine signer quand il vint me voir pour la première
fois, écrit aujourd'hui fort lisiblement une lettre de
quatre pages. La constipation, qui était une véritable
préoccupation pour M. S... avant son traitement, a
complètement cessé depuis celui-ci. La projection de
l'urine a également gagné notablement en intensité.
(Dr GOIZET.)

CHAPITRE VIII

Affections rhumatismales.

Les faits prouvent jusqu'à l'évidence l'action du suc testiculaire sur les rhumatisants. Peut-être cette action est-elle due à la propriété qu'a le suc testiculaire d'augmenter dans de notables proportions la sécrétion de l'urine, de dissoudre facilement l'acide urique et les urates acides et d'en favoriser ainsi l'élimination! Toujours est-il que la spermine du professeur Pœhl, de Saint-Pétersbourg, et la pipérazydine reconstituée par synthèse par les chimistes allemands sont des dissolvants de l'acide urique et des urates acides vingt fois aussi puissants que la lithine. Or, ces substances, qui sont des éléments constituants du suc testiculaire, ont une action dissolvante et diurétique très inférieure à celle du suc testiculaire lui-même, ainsi que l'ont démontré d'une façon irrécusable les nombreuses expériences comparatives que j'ai faites à ce sujet.

Remarques sur la spermine et le liquide testiculaire, par M. Brown-Séquard.

La spermine du professeur Pœhl, de Saint-Pétersbourg (1), et de quelques autres chimistes est-elle la
substance qui agit si puissamment lors de l'emploi, en
injections sous-cutanées, de la solution du suc testiculaire dont j'ai recommandé l'usage?

Depuis la publication de mes recherches sur le liquide
testiculaire, nombre de chimistes, en Amérique, en
Russie, en Autriche, en Allemagne, ont pensé que la
substance cristallisable fort peu ou fort mal étudiée
sous le nom de spermine ou de spermatine devait être
le principe actif de la solution du suc que j'extrais des
testicules et des canaux déférents d'animaux venant de
mourir. Je ne puis pas déclarer positivement que cette
supposition est fausse, mais je puis dire que quand
même il serait bien établi, comme le soutiennent le professeur Tarchanoff et nombre de médecins russes, la
spermine de Pœhl serait douée de propriétés analogues
à celle du liquide testiculaire tel qu'on le prépare au
Collège de France, il ne serait pas démontré que c'est
à ce principe cristallisable qu'est due la puissance de ce
liquide.

Les faits suivants donnent une démonstration pé-
remptoire à cet égard. Les préparateurs de spermine,
pour en faire l'extraction, emploient le sperme *total*,
c'est-à-dire les animalcules spermatiques, les cellules
dont ils proviennent ainsi que le liquide dans lequel se
trouvent ces éléments anatomiques. Or, il est tout aussi
bien possible que la spermine soit fournie seulement

(1) Voyez la brochure : *Spermin, ein neues stimulans,*
von Prof. Dr A Pœhl. Saint-Pétersbourg, 1890.

par ces éléments anatomiques ou par l'un d'eux que par le liquide dans lequel ils se trouvent, ou enfin par toutes ces parties à la fois. On sait, en effet, que je n'emploie en injections sous-cutanées qu'un liquide filtré, parfaitement transparent et ne contenant rien de solide que le microscope puisse faire voir. Les animalcules spermatiques, leurs cellules formatrices et tout ce que l'œil peut voir à l'aide du microscope dans le sperme, n'ont donc rien à faire avec la puissance dynamogénique du liquide du Collège de France. Ceci n'empêche pas que le sperme *entier* (c'est-à-dire le liquide, les animalcules et les cellules), ait pu rappeler à la vie, à trois reprises différentes, la femme d'un jeune médecin, qui en a reçu en injections sous cutanées. (V. *Archives de Physiologie*, 1890.)

On dit que la spermine est une leucomaïne ($C^2 H^5 Az$) que Schreiner (en 1878) a bien étudiée au point de vue chimique et physique. Il l'a retirée non seulement du sperme (1), mais du cœur et du foie de veau, des testicules du taureau et *de la surface de préparations anatomiques tenues dans de l'alcool*. Avant Schreiner on en connaissait les cristaux, qu'on appelait cristaux de Charcot, Neumann, et qui étaient du phosphate de spermine. On les avait trouvés dans des crachats, dans un cas d'emphysème avec catarrhe, dans les expectorations de la bronchite, aiguë ou chronique, dans le sang, dans

(1) Il est remarquable que Schreiner ait retiré cette substance d'un mélange de sperme et de fluide prostatique et qu'il l'ait appelée spermatine, bien qu'il sût qu'elle provenait de ce fluide et non du sperme proprement dit (Landois, *A Text-Book of Physiol.* Transl. by Stirling, 1886, vol. II, p. 1167). Le sperme éjaculé est un mélange de sécrétion des testicules, des glandes séminales, de la prostate, des glandes de Cowper et de la muqueuse uréthrale et de cellules épithéliales des voies génito-uréthrales.

la rate chez des leucocythémiques et des anémiques, dans la moelle des os, etc.

Nous croyons avoir établi que le principe actif du liquide que nous avons employé, est le même qui provient par résorption du liquide spermatique dans les testicules, dans les vésicules séminales et dans les conduits déférents, et qui possède toute son énergie chez les hommes jeunes et vigoureux. Ce principe ne peut donc pas consister en une substance que l'on trouve partout, non seulement chez l'homme, mais aussi *chez des femmes atteintes d'anémie ou de leucocythémie.*

Qu'il y ait une leucomaïne, que l'on nomme spermine, dans le fluide prostatique, dans le sperme, dans le foie, dans la rate et ailleurs, je n'ai aucune raison pour le nier, mais les chimistes ont encore à trouver quel est le principe actif (ou peut-être quels sont les principes actifs) du liquide provenant des testicules et que j'ai employé en injections sous-cutanées. Si l'on voulait faire cette recherche, c'est dans la partie absolument fluide et soluble dans l'eau que l'on retire des testicules et des canaux déférents, qu'il faudrait le faire. C'est cette partie seule qui passe à travers le filtre Pasteur et que j'injecte. Les animalcules spermatiques, dont la fonction propre est si radicalement différente de celle de la partie liquide du sperme (1), contiennent peut-être le principe actif de cette portion liquide ; c'est ce que des recherches faites par des chimistes pourraient établir. Il serait facile d'avoir une quantité considérable de

(1) J'ai rapporté un cas extrêmement remarquable montrant bien que la sécrétion spermatique peut posséder toute sa puissance dynamogénique pour l'individu qui la produit, bien qu'elle ne contienne pas de spermatozoïdes. (V. *Archives de physiologie*, 1889, p. 742.) Mac Carthy, Ch. Robin et Hirtz ont rapporté des cas semblables.

spermatozoïdes, dans le liquide que nous savons posséder le principe actif dont il s'agit, puisque ces animalcules restent dans le filtre, d'où l'on pourrait les
retirer. Il serait facile de faire ce qu'à ma connaissance
les chimistes n'ont pas encore fait : étudier comparativement les parties liquides et solides du sperme.

Les propriétés physiologiques de la spermine de Pœhl
ont été bien étudiées par un savant de grand mérite, le
professeur Tarchanoff. Je montrerai dans un autre
travail qu'elles diffèrent notablement de celles du
liquide testiculaire préparé par d'Arsonval ou par moi.
Il n'y a pas lieu de s'étonner de ces différences, puisque
cette spermine est retirée du sperme entier, tandis que
le liquide que j'ai recommandé ne contient que la partie
fluide du sperme.

Conclusions : 1° La substance qui forme les
cristaux de spermine de Charcot, Neumann et
Schreiner, ne peut être douée d'une puissance
dynamogénique notable ; 2° la spermine de Pœhl,
quelle qu'en soit la valeur, diffère trop du liquide
testiculaire préparé comme je l'ai indiqué pour
pouvoir le remplacer ; 3° la question de savoir
quelle est la substance dynamogénique du liquide
testiculaire est entièrement à résoudre.

OBSERVATION I

Rhumatisme articulaire chronique. — M. D..., âgé
de quarrnte-neuf ans, a été atteint d'un rhumatisme
articulaire aigu il y a cinq ans. Ce rhumatisme avait
envahi successivement toutes les articulations et était
passé de l'état aigu à l'état chronique sans que M. D...

ait pu reprendre l'usage de ses membres. Au mois de septembre 1890, à son retour des Eaux-Chaudes, M. D... fatigué de toutes les médications tentées sans résultat jusque-là, me fit appeler et me demanda si je voulais tenter sur lui l'expérience de la méthode régénératrice Brown-Séquard. Je consentis à essayer, sans rien promettre, bien entendu. Le 29 septembre 1890, je commençai les injections de suc testiculaire que je fis directement dans les tissus qui enveloppent l'articulation du genou. Deux injections d'un centimètre cube de suc testiculaire au vingtième furent pratiquées à chaque genou tous les deux jours. A la fin de novembre, après 30 séances, l'état général s'était beaucoup amélioré, et les genoux surtout qui étaient très compromis avant le traitement, avaient subi une transformation assez heureuse pour permettre à M. D... de marcher un peu. Les douleurs avaient presque entièrement disparu. Le traitement fut continué jusqu'au mois d'avril 1891, en variant le lieu d'élection des injections, selon que telle ou telle articulation étai plus ou moins réfractaire à la médication.

L'expérience tentée a réussi au delà de toute espérance. M. D... est encore rhumatissant, malgré 6 mois de traitement et près de 200 injections, mais il peut marcher et vaquer à ses affaires.

La santé générale a beaucoup gagné ; et le malade qui a cessé son traitement depuis plus de 3 mois, n'en continue pas moins à se débarrasser progressivement de son mal. M. D..... avait en même temps un catarrhe des bronches dont il a été guéri sans autre médication.

D'autres observations en grand nombre confirment l'action bienfaisante du suc testiculaire sur les affections catarrhales des bronches. (Dr Goizet.)

OBSERVATION II

M. A..., âgé de trente-deux ans, né de parents goutteux, a eu sa première attaque il y a 10 ans. Chaque année, il passe plusieurs mois sur son lit et ne reste jamais un seul jour sans souffrir. Les moindres variations atmosphériques sont pour lui une cause de souffrances nouvelles. La tristesse, l'hypochondrie, ont été le résultat de cette pénible existence.

Le 3 avril 1891, je commence le traitement à raison de trois injections d'un centimètre cube de suc testiculaire tous les deux jours. 15 jours après, M. A... mangeait avec un appétit qu'il ne connaissait plus depuis longtemps, digérait bien et dormait encore mieux. Il se sentait plus de force, plus de souplesse et d'agilité dans les membres, il avait pu reprendre l'exercice des armes abandonné depuis longtemps. Les douleurs diminuaient de jour en jour en même temps que revenaient la gaîté et l'espérance. Le 2 juin, M. A... se trouvant assez bien, partit pour la campagne où il continue le traitement. Le mieux persiste. (Dr GOIZET.)

OBSERVATION III

Douleurs musculaires. — (Voir p. 233, l'observation de M. X..., officier supérieur).

CHAPITRE IX

Maladies de la peau.

Les observations du Dr Suzor à l'île Maurice et mes observations personnelles au cours du traitement d'affections très diverses par les injections sous-cutanées de suc testiculaire, m'ont conduit à tenter l'emploi du suc testiculaire dans certaines maladies cutanées. Connaissant l'action dynamogénique et régulatrice du suc testiculaire sur les diverses fonctions de nutrition, la tentative était d'accord avec la logique la plus serrée, puisque, dans la majeure partie des cas, les affections de la peau ne sont que la manifestation d'un trouble profond dans l'accomplissement de ces fonctions. Aussi mes expériences ont-elles été couronnées par le succès.

OBSERVATION I

Acné simple. — Mademoiselle X..., vingt ans, tempérament lymphatique est fort ennuyée depuis 5 ou 6 ans, d'avoir sur toute l'étendue du dos, sur les épaules et

sur le visage de nombreuses pustules d'acné. Le front,
les ailes du nez, les joues et le menton sont parsemés
de ces boutons. Des croûtes, des rougeurs, des cicatrices attestent l'ancienneté de la maladie ; de petites
élevures dures, rouges, sensibles à la pression du doigt,
annoncent la formation prochaine de nouvelles pustules. La peau inégale et ravagée donne au visage
l'aspect repoussant de la petite vérole après la période
de desquammation. C'est le processus ordinaire de
l'acné. L'état général laisse beaucoup à désirer : les
chairs sont molles, les ganglions du cou volumineux,
les règles peu abondantes, pâles, irrégulières et douloureuses, l'appétit languissant et capricieux.

· Je commence le traitement en juin 1890, à raison de
deux injections d'un centimètre cube de suc testiculaire
au vingtième tous les trois jours. Un an après, en juin
1891, Mlle X... est complètement transformée. Les fonctions de nutrition s'accomplissent parfaitement, la
menstruation est normale, les chairs sont fermes,
pleines ; la peau lisse et unie garde à peine la trace de
quelques petites cicatrices blanches anciennes qui tendent à disparaître chaque jour et qui disparaîtront certainement. Cent injections d'un centimètre cube, ont
suffi pour faire d'un être repoussant une belle jeune
fille pleine de santé. (Dr GOIZET.)

OBSERVATION II

Acné punctata et pytiriasis. — Mme A... D..., vingt-six
ans, artiste lyrique, a depuis cinq ans, épuisé toutes les
médications pour se débarrasser des milliers de petits
points noirs qui couvrent son front, son menton
et son nez ainsi que des petites écailles, grandes comme
du son et parfaitement blanches qui tombent en grande
quantité de ses cheveux et de ses oreilles. Les points

noirs épaississent la peau et entretiennent à sa surface
un suintement huileux et luisant fort désagréable. Le
cuir chevelu est dans un état permanent d'irritation
qui amène progressivement la perte prématurée des
cheveux. En un mot, Mme A... D... est affligée d'un *acné
punctata de la face et d'un pityriasis du cuir chevelu
et des oreilles.* Je commençai le traitement le 7 août
1890, par deux injections d'un centimètre cube de suc
testiculaire au vingtième et je continuai ainsi tous les
deux jours jusqu'au 31 août. L'état général s'était amélioré considérablement et l'aspect du visage était sensi-
blement mieux. Mme A... D... s'absenta pendant un mois
et recommença le traitement au mois d'octobre. Quand
elle revint, je la retrouvai à peu de chose près dans
l'état où je l'avais laissée.

Au 15 décembre suivant, Mme A... D... quittait Paris
à nouveau, mais cette fois parfaitement guérie. Trente-
deux séances et soixante-quatre injections avaient suffi
à ramener le bon fonctionnement de l'organisme. L'appétit impérieux exigeait une alimentation abondante
et la digestion était facile; la constipation, habituelle
avant le traitement, avait cessé d'elle-même. Le sommeil était excellent et réparateur. Au milieu de cette
rénovation de la santé générale, l'acné et le pityriasis
avaient disparu. (Dr Goizet.)

OBSERVATION III

Eczéma chronique de la face. — Mlle G..., vingt-huit
ans, a depuis 10 ans, visité toutes les stations thermales
et suivi rigoureusement toutes les médications qui lui
ont été indiquées par les spécialistes les plus renommés.
Elle n'a que très rarement obtenu une amélioration peu
durable. C'est à peine si l'eczéma lui laissait quelques
semaines de répit, sans jamais, une seule fois dispa-

raître tout à fait. Le visage est littéralement couvert
d'une croûte épaisse fendillée par place. Les squammes
sont d'une épaisseur considérable. L'aspect est repoussant. Le bord des paupières, les lèvres, les narines sont
envahies. La malade commence le traitement le 10 novembre, deux mois après son retour de la Bourboule.

Mlle G... qui supporte admirablement les injections, a
reçu, chaque semaine, du 10 novembre 1890 au 10 mars
1891, six injections d'un centimètre cube de suc testiculaire, en deux séances, soit au total 99 injections en
33 séances. Depuis le 20 février, il ne reste pas trace
d'eczéma ; et, depuis le mois de mars, bien que Mlle G...
ait cessé le traitement d'une façon absolue, le plus petit
retour offensif de la maladie ne s'est pas manifesté.
Tout semble faire croire que la guérison est définitive.
(Dr Goizet.)

OBSERVATION IV

Ecthyma cachectique. — M. R..., quarante-trois ans,
est atteint d'un ecthyma cachectique bien caractérisé.
Les deux jambes portent chacune 40 à 50 croûtes qui,
sous une pression légère, laissent échapper un liquide
sanieux, moitié séreux, moitié purulent. Sous ces
croûtes, existent des ulcérations profondes, grisâtres,
dont l'aspect ne donne guère l'espoir de les voir marcher vers la cicatrisation. Le malade est dans un état
effrayant de débilité et de maigreur. Il a souvent de la
diarrhée et l'appétit est à peu près nul. C'est une cure
dans laquelle je n'ai qu'une confiance très limitée et
que je n'entreprends que sur les supplications de M. R....
Le 19 janvier 1891, je pratique une injection d'un centimètre cube de suc testiculaire au vingtième et je continue ainsi chaque jour sans interruption jusqu'au 31
janvier. Les forces du malade commencent à se relever

et la suppuration est moins abondante; l'appétit et le sommeil sont revenus, la diarrhée a cessé. Je continue le traitement par une séance de deux injections tous les deux jours, pendant le mois de février. A cette époque, les croûtes sont sèches et la pression ne fait sortir aucun liquide. Les ulcérations sont guéries et l'état général du malade est très satisfaisant. Pendant tout le mois de mars je ne fais plus qu'une séance de trois injections par semaine. Quelques bains suffisent pour provoquer la chute des croûtes, l'ecthyma ne révèle plus sa présence que par des cicatrices et M. R... est guéri.

CHAPITRE X

Affections du cœur.

OBSERVATION I

M. R..., cinquante et un ans, homme de lettres fort connu dans le journalisme français, est atteint depuis de longues années, d'une hypertrophie du cœur que je crois héréditaire.

Depuis quatre ans, à la suite de chagrins suivis d'excès alcooliques, la maladie a fait des progrès rapides. La marche, de plus en plus pénible est devenue tout à fait impossible depuis quatre mois ; les organes respiratoires, obstrués par le fait d'une mauvaise circulation, sont devenus le siège d'une bronchite catarrhale fort gênante ; l'œdème qui avait été pendant longtemps limité aux molléoles, à la fin de la journée, a envahi successivement les mollets, les cuisses, le scrotum et le péritoine ; le sommeil qui depuis longtemps n'était possible que dans un fauteuil, ou au lit, le tronc soutenu dans la position verticale par plusieurs rangs de coussins, a complètement disparu depuis plus de deux mois. C'est à peine si le malade prend quelques tasses de lait ou de bouillon. L'œdème est si considérable que deux ou trois sphacèles se sont produits à la jambe gauche et les points gangrenés laissent couler constamment le liquide infiltré. Depuis le 10 février dernier

24.

la faiblesse est telle que les syncopes se répètent plusieurs fois par jour et que les hallucinations sont
constantes. Les macérations de digitale, les injections de
caféine à haute dose, les purgatifs *drastiques*, le régime
lacté, n'apportent qu'un soulagement très passager et à
peine sensible. Les urines très chargées sont rares, la
mort paraît imminente. Le 22 février, je pratique quatre
injections de suc testiculaire d'un centimètre cube pour
chaque injection. Le lendemain, les syncopes ne se sont
pas produites, je fais quatre nouvelles injections, le
malade dort 5 heures dans son fauteuil et se sent mieux.
A partir de ce jour, le lait est toléré à la dose de trois
litres par 24 heures; les urines augmentent, le cœur
reprend du ton. Le 27, troisième séance de quatre injections, le malade dort toute la nuit dans son lit soutenu
par des coussins. La voix qui avait disparu est revenue,
la quantité d'urine mesure trois litres, l'hydropisie
diminue rapidement. Le 8 mars, nous sommes à la cinquième séance, l'appétit est excellent, le sommeil
parfait, la toux et l'oppression ont cessé. Le 18 mars,
M. R... est sorti pour la troisième fois, a descendu à
pied toute la longueur de l'avenue des Champs-Elysées
et les boulevards et vient chez moi prendre sa huitième
séance. L'œdème a complètement disparu et ne se manifeste pas même le soir. M. R... reprend son travail et
fait régulièrement ses articles. C'est une véritable
résurrection.

. L'hypertrophie subsiste, bien entendu, mais le malade
mange, travaille, dort étendu comme tout le monde
et fait tous les jours sa petite promenade. La toux et
les crachats ne l'incommodent plus, l'ascension des
étages est pénible mais supportable. En un mot, M. R...
se trouve mieux qu'il n'a jamais été depuis 5 ans.

Malheureusement quelques semaines plus tard, à la
suite d'un refroidissement pris dans une promenade,

alors que rien ne pouvait faire prévoir un dénouement
fatal à bref délai, M. R... fut enlevé en vingt-quatre
heures par une congestion pulmonaire. (Dr GOIZET.)

Comment expliquer ces phénomènes autrement
que par une action essentiellement tonique du suc
testiculaire sur le système nerveux central?

Si nous rapprochons cette observation du cas
du sculpteur de la rue de la Fidélité, dont j'ai
donné tous les détails dans la communication que
j'ai faite à la Société de Biologie, le 8 novembre
1890 (voir p. 27), il nous est permis d'affirmer que,
chez les malades qui font l'objet de ces observations, le suc testiculaire a agi dans ces cas de la
même façon que la digitale. C'est également l'avis
du professeur Pœhl, de Saint-Pétersbourg : le suc
testiculaire a eu une action directe tonique et régulatrice sur le rétablissement des fonctions physiologiques du cœur.

L'amélioration obtenue chez M. Masseron n'a
fait que s'accentuer depuis le mois de juillet. Mais
je dois ajouter que, tous les quinze jours, depuis
le mois d'octobre, ce dernier a reçu, pendant deux
jours consécutifs, quatre injections séquardiennes.

CHAPITRE XI

L'estomac.

Action du suc testiculaire sur les organes de la digestion

Le relèvement de l'appétit et la facilité de bien digérer les aliments ingérés, sont les premières manifestations du traitement par les injections du suc testiculaire. La plupart des observations contenues dans ce volume et en particulier celles de M. H. S... et de Mme de C... (voir p. 256 et p. 212) en fournissent la preuve. Aussi, je crois superflu de consigner ici des faits pathologiques et thérapeutiques dans lesquels l'estomac se trouve uniquement intéressé.

De même, le cas particulier du professeur Brown-Séquard, les observations de Mairet, de Montpellier, et celles qui nous sont personnelles, démontrent d'une façon suffisamment claire l'action puissante des injections de suc testiculaire sur l'acte de la défécation et par conséquent sur la constipation, pour qu'il soit sans intérêt de répéter ici des observations sur le même sujet.

Le lecteur trouve presque à chaque page de ce livre des faits précis de nature à l'édifier sur l'influence bienfaisante du suc testiculaire, dans tous les cas où les fonctions digestives, troublées par la maladie, ont besoin d'être rétablies. Toutes les fois que l'estomac, le foie, le pancréas ou l'intestin ont besoin d'un stimulant puissant, ces organes importants le trouvent sûrement dans le suc testiculaire employé sous forme d'injections sous-cutanées.

CHAPITRE XII

Maladies des voies respiratoires.

--- --- ---

OBSERVATION I

Affaiblissement de la puissance vocale. — M. X..., baryton, trente ans, a perdu à la suite de l'influenza, une grande partie de sa voix, si bien que du mois de février au mois d'octobre 1890, il fut obligé de s'abstenir complètement de chanter. Du 5 octobre au 15 novembre, je pratiquai en seize séances, trente-deux injections d'un centimètre cube de suc testiculaire, et depuis lors M. X... a pu reprendre et tenir brillamment ses rôles. Chaque fois que M. X..., doit soumettre sa voix à un effort plus considérable que de coutume, il vient dans la semaine qui précède la représentation se faire inoculer quelques centimètres cubes de suc testiculaire et prétend que ce moyen lui réussit infailliblement.

OBSERVATION II

Bronchite catarrhale. — M. L... de G..., soixante ans, est, depuis 10 ans, affligé d'un catarrhe chronique des bronches avec hypersécrétion de mucosités collantes, filantes et glaireuses, assez semblables à des blancs d'œufs crus. L'expulsion de ces crachats nécessite des efforts et des quintes de toux d'une violence telle que M. L... de G... est souvent obligé de s'asseoir ou de s'appuyer en se tenant la tête pendant toute la durée de la quinte.

Le 2 janvier 1891, je fais à M. L... de G... à sa première visite, trois injections d'un centimètre cube de suc testiculaire au vingtième et je continue ainsi, deux fois chaque semaine jusqu'au 10 avril. En tout 26 séances et 78 injections. Dès le mois de février, M. L... de G... allait beaucoup mieux, à la fin de mars, il ne toussait plus, les sécrétions des bronches étaient normales et il dormait toute la nuit.

OBSERVATION III

Emphysème pulmonaire. (Voir p. 195, observation III).

Jusqu'à présent, il ne m'a pas été donné de constater les effets des injections de suc testiculaire dans l'asthme essentiel ou cardiaque, mais la logique la plus simple me permet d'affirmer que, dans ces deux cas, l'application de la découverte de Brown-Séquard est appelée à rendre les plus grands services.

Exposé de faits nouveaux montrant la puissance du liquide testiculaire contre l'affaiblissement dû à certaines maladies et en particulier la tuberculose pulmonaire, par M. Brown-Séquard.

I. — Dans une série d'articles sur ce que j'ai appelé *liquide* testiculaire et *liquide* ovarique (1),

(1) *Archives de Physiologie normale et pathologique,* octobre 1884, p. 651 et 739; janvier, avril et juillet 1850, p. 201, 443, 456 et 651.

j'ai essayé de montrer que ces deux solutions de
suc extrait des glandes sexuelles mâle et femelle,
mais surtout le fluide obtenu par broiement des
testicules et des glandes séminales, possèdent une
puissance dynamogénique considérable sur les
centres nerveux et principalement sur la moelle
épinière. J'ai rapporté un très grand nombre de
faits donnant la preuve de l'existence dans ce
liquide d'éléments doués de cette puissance à un
très haut degré. Dans les maladies les plus variées
ayant produit de la faiblesse, l'effet d'injections
sous-cutanées ou même intra-rectales du liquide
testiculaire, a été considérable et rapide. J'ai été
souvent surpris et d'autres l'ont été bien plus que
moi, en apprenant que certains malades (des lépreux, par exemple), paraissaient avoir recouvré
en grande partie la santé, et surtout une vigueur
considérable. En y songeant cependant et surtout
en tenant compte du fait que les fonctions des centres nerveux peuvent s'exécuter d'une manière
presque normale malgré la présence dans ces parties de lésions organiques destructives (1), j'ai pu

(1) On sait que j'ai essayé de démontrer que les pertes
de fonction dans les affections organiques des centres nerveux dépendent en grande partie d'un acte inhibitoire qui
peut cesser et permettre ainsi le retour des fonctions disparues, malgré la persistance de la lésion organique qui
les avait fait disparaître.

m'expliquer que, sous l'influence d'une augmentation notable de puissance d'action dans les parties
non détruites de ces centres, des fonctions perdues
pouvaient revenir. Ce ne sont pas seulement les
paralysies qui peuvent cesser, mais des états morbides actifs tels que fièvre, œdème, ulcères, douleurs, photophobie, pertes séminales, ataxie locomotrice, contracture, etc., dépendant d'irritations
des centres nerveux, ont pu disparaître, et la nutrition et les sécrétions redevenir normales à tel
point que les poils qui étaient tombés chez les
lépreux soignés par le Dʳ Suzor ont poussé de
nouveau.

Un grand nombre de médecins, surtout en Russie,
en Pologne, en Autriche et en Italie, ont publié
d'intéressants travaux sur les effets physiologiques et thérapeutiques des injections sous-cutanées
de liquide testiculaire. Je ne mentionnerai ici que
quelques-uns d'entre eux, commençant par l'exposé des recherches faites par un médecin distingué
de Saint-Pétersbourg, le Dʳ Uspensky, d'après l'analyse qu'a bien voulu me communiquer M. Vonouroff.
Le travail de M. Uspensky a été lu à la Société
d'hygiène populaire à Saint-Pétersbourg, le 1ᵉʳ décembre. Les essais de ce médecin ont été faits sur
des tuberculeux aux divers degrés de la maladie,
et il ne les aurait pas encore fait connaître si le

bruit fait à l'égard de la découverte de M. Koch
ne l'y avait conduit. Il a trouvé que les dix-huit
premiers phtisiques qu'il a soumis aux injections
de suc testiculaire étaient tous dans un état d'extrême faiblesse et qu'aucun espoir ne restait de
les améliorer : ils avaient vainement été traités
par tous les principaux moyens usuellement employés. Douze de ces malades étaient atteints de
tuberculose pulmonaire chronique, trois de tuberculose aiguë, et chez deux individus la phtisie
aiguë était à marche rapide, ne laissant aucun
espoir. L'influence dynamogénique des injections a
été très notable chez tous. Cependant M. Uspensky
est loin de considérer leur guérison comme certaine.

Il donne l'observation détaillée de chacun de
ses malades. Je me bornerai à rapporter un des
cas comme spécimen.

OBSERVATION

G. G..., lycéen de dix-huit ans, est atteint d'insuffisance mitrale. Il a donné des signes de tuberculose
pulmonaire en mars dernier. Plusieurs médecins con-
sultés ont diagnostiqué la phthisie galopante. M. Uspensky a commencé le 1er mai à lui faire des injections
sous-cutanées de liquide testiculaire. De ce moment au
15 juin, quinze injections lui ont été faites (une tous
les trois jours). Déjà, après les trois premières injections, l'état du malade s'était notablement amélioré.

Après la sixième, ayant recouvré en partie ses forces, il a pu marcher dans sa chambre. Peu à peu, après de nouvelles injections, il gagnait de la vigueur, le poids du corps s'augmentait, la température s'abaissait et les sueurs nocturnes diminuaient. Après 10 injections, au commencement de juin, cel'es-ci avaient cessé. Le malade se sentait fort, et il faisait de longues promenades dans les jardins. Lorsqu'on a cessé les injections, le malade a repris ses occupations; il avait l'apparence d'un homme bien portant. L'état général s'est encore amélioré et le poids du corps a augmenté pendant tout l'été. Le travail morbide des poumons s'était ralenti au fur et à mesure des améliorations de l'état général. Le poids du corps, qui était de 98 livres, est monté à 118 livres et demie.

Chez les douze malades atteints de tuberculose pulmonaire chronique, la disparition des sueurs nocturnes et l'accroissement des forces ont eu lieu plus vite que dans l'observation qui précède, et ces améliorations se sont montrées de la seconde à la quatrième injection. Chez presque tous ces individus le progrès vers la santé a été si rapide, qu'après neuf à douze injections ils se sentaient si bien qu'ils ont abandonné le traitement. Chez les autres on a suspendu le traitement, trouvant qu'ils n'en avaient plus besoin.

En outre des dix-huit malades mentionnés ci-dessus, le traitement a été commencé sur douze autres, dont sept à l'hôpital des prisonniers de

Saint-Pétersbourg. Chez ces douze nouveaux malades les résultats déjà obtenus sont semblables à ceux qui ont été constatés chez les dix-huit malades traités précédemment.

La conclusion générale de M. Uspensky est que le liquide dont j'ai proposé l'emploi est un tonique des plus puissants et qui semble avoir produit les plus favorables effets sur tous les tuberculeux soumis à son action, même ceux qui étaient le plus gravement atteints.

Ce médecin distingué déclare que les injections qu'il a faites ont été absolument inoffensives et parfaitement supportées par tous les malades, hommes ou femmes, atteints gravement ou non. La *suggestion* n'a joué aucun rôle chez ces individus, qui ne se doutaient pas de ce qui était fait et qui en ont éprouvé rapidement un sentiment de bien-être et de vivacité et de vigueur. Chez une malade les sueurs nocturnes qui duraient depuis cinq mois ont disparu dès la première injection, mais ordinairement ce n'est qu'après un assez grand nombre d'injections (de trois à quatre au moins et le plus souvent de huit à neuf) que ce symptôme a disparu. La température s'est abaissée jusqu'au chiffre normal après huit ou neuf injections dans les cas bénins, et après de quinze à dix-huit dans les cas plus graves.

Les bacilles de la tuberculose ne disparaissent pas sous l'influence de ce traitement, même dans les cas les plus heureux (quand aux bons effets), mais leur nombre diminue au fur et à mesure de l'amélioration de l'état des poumons. Ils ont même continué à se montrer alors que le travail morbide pulmonaire était complètement arrêté.

L'avenir, dit M. Uspensky, décidera de l'efficacité de ce traitement contre la tuberculose; mais, dès à présent, l'auteur connaît des cas où il y a apparence de guérison depuis cinq mois. Les résultats sont d'autant plus durables et favorables qu'on a fait plus d'injections. Il importe d'en faire davantage en automne qu'en été, le liquide testiculaire ayant moins de puissance dans une saison froide que lorsqu'il fait chaud.

Je ferai remarquer d'abord, à l'égard de cet important travail de mon savant confrère de Saint-Pétersbourg, que je ne puis accepter l'idée qu'il a émise, que le liquide testiculaire est un spécifique contre la tuberculose pulmonaire. C'est secondairement et par suite de l'influence dynamogénique de ce liquide sur les centres nerveux, et surtout sur la moelle épinière, qu'il produit des effets curatifs dans tant d'affections si différentes l'une de l'autre. De même qu'il est certain qu'une bonne santé générale empêche des manifestations

nouvelles de la syphilis constitutionnelle chronique,
comme l'a si bien démontré Diday ; de même qu'il
est certain, comme je l'ai démontré, que la tuberculose ne survient pas chez des animaux exposés
à en être atteints par inoculation de matières
tuberculeuses, si on les place dans les meilleures
conditions hygiéniques connues ; de même aussi
la phtisie pulmonaire a de grandes chances de
s'améliorer si la santé générale s'améliore. Sous
l'influence du liquide testiculaire, la respiration,
les mouvements du cœur, la chaleur animale,
tendent à redevenir normaux, et, par suite, les
symptômes et l'état organique morbide tendent à
s'améliorer. Si la guérison arrive, et il y a tout
lieu de croire que M. Uspensky l'a obtenue chez
nombre de malades, c'est que l'état morbide spécial des poumons ne peut pas durer lorsque les
fonctions organiques troublées reviennent à l'état
normal. Quoi qu'il en soit, un fait physiologique
notoire s'observe dans le cas du traitement de la
phtisie par le liquide testiculaire, comme dans
nombre d'autres maladies : c'est que la vigueur
des malades augmente rapidement. Il y a donc
dans les observations du médecin russe une preuve
de l'exactitude de l'opinion que je soutiens depuis
dix-huit mois à l'égard de la valeur des injections
de liquide testiculaire pour l'augmentation des

forces chez les individus débilités par l'âge ou la maladie.

II. — M. le Dr Goizet, qui a fait récemment une intéressante communication à la Société de Biologie, où il rapporte des faits dont je dirai tout à l'heure quelques mots, a fait comme M. Uspensky des recherches sur le traitement de la tuberculose pulmonaire, à l'aide d'injections de liquide testiculaire. Il leur aurait depuis assez longtemps déjà donné de la publicité s'il n'avait consenti, sur ma demande, à faire auparavant de nouvelles recherches à ce sujet. Sur trois individus atteints de tuberculose pulmonaire au deuxième degré, il avait fait depuis assez longtemps des injections sous-cutanées antiseptiques, et en avait obtenu quelque avantage. Sur mon conseil, au mois de juin dernier, il les soumit à un traitement mixte consistant en injections alternatives de liquide testiculaire et de substances antiseptiques. Après trois semaines de ce traitement chez ces trois individus, la toux avait cessé ; les crachats, la fièvre, les sueurs avaient disparu ; l'appétit était excellent. Ils reprenaient de la force et de l'embonpoint, et aujourd'hui, après six mois d'injections, le Dr Goizet les considère tous trois comme guéris. Il semble donc, d'après ces faits et ceux du

Dr Uspensky, que les symptômes de la phtisie pulmonaire, comme ceux de la lèpre, peuvent disparaître sous l'influence dynamogénique du suc testiculaire.

Dans sa communication à la Société de Biologie (*Mémoires*, 1890, p. 101), M. Goizet rapporte plusieurs faits remarquables. Le premier de ces faits est celui d'un individu qui allait mourir à la suite de symptômes extrêmement graves, et qui a été rappelé à la vie par des injections sous-cutanées de liquide testiculaire provenant de jeunes cobayes. Il a fallu cependant pour cela vingt-deux séances et cent seize injections. La quatrième observation de l'auteur a pour objet le cas d'un ataxique avec myélite centrale. Une amélioration considérable a été rapidement obtenue.

Ces faits ne montrent rien de plus que ce que des centaines d'observations ont déjà établi, à savoir que, malgré la persistance plus ou moins complète de certaines lésions organiques, le suc testiculaire peut faire disparaître les effets que ces lésions avaient produits.

I. — Je crois devoir redire ici qu'il faut, dans beaucoup de cas, renouveler les injections tous les deux ou trois, ou même tous les jours et pendant plusieurs semaines, lorsqu'on veut s'assurer positivement si le liquide testiculaire peut agir favorablement ou non. Ces cas sont ceux où existe une puissante cause de débilité, avec perturbation notable des grandes fonctions organiques.

II. — Je n'ai qu'une seule conclusion à tirer des faits exposés dans cet article, c'est que, de même que les hommes vigoureux, jeunes et en bonne santé reçoivent, par résorption, des éléments de leur sperme, qui servent à maintenir leur vigueur et leur santé, de même l'injection sous la peau d'un liquide extrait de testicules de mammifères en bonne santé peut, chez l'homme malade, produire deux effets : le premier consistant en un accroissement de forces, le second en une amélioration ou une guérison d'états morbides variés, grâce à une augmentation de forces des centres nerveux.

CHAPITRE XIII

La Phtisie pulmonaire *traitée et guérie par ma méthode. — Nombreuses observations à l'appui.*

Depuis plus de 20 ans, je n'ai pas perdu de vue la terrible maladie qui, seule, entre pour un quart dans le chiffre de la mortalité de nos grandes villes. Toujours en lutte, profitant de toutes les découvertes, essayant tout, j'ai été de toutes les espérances et de toutes les déceptions. Aujourd'hui, les combattants ont ouvert une brèche, bientôt, j'en ai la ferme conviction, ils seront dans la place et le fléau sera vaincu. Je suis parmi les combattants. Si je n'ai pas l'honneur d'arriver le premier, j'aurai toujours la suprême joie d'avoir fourni mon appoint à la victoire.

Dans l'état actuel de la question, le traitement des phtisiques se résume :

1° A attaquer le bacille de Koch avec un ou plusieurs antiseptiques ; 2° à soutenir ou à relever les forces des malades par des agents divers

afin de donner aux antiseptiques le temps de
chasser ou de tuer le bacille.

Parmi les antiseptiques nombreux qui ont été
essayés, celui dont ma longue expérience m'a
démontré la puissance réelle est le phosphate de
cuivre. C'était un agent difficile à administrer, en
raison de son insolubilité et de la douleur que
cause son introduction dans les tissus : je suis
arrivé, à force de recherches, à trouver un véhicule absolument stérilisé qui, tout en remplaçant
avantageusement la glycérine employée jusqu'ici,
réduit la douleur à son minimum et rend l'injection supportable pour les sujets les plus impres-
sionnables. Ce véhicule est la gélatine. La lenteur
d'absorption du phosphate de cuivre introduit
dans les tissus sous-cutanés fait disparaître tout
danger d'introduction. Plus de deux mille injections, faites sur des malades de tempéraments
divers, n'ont jamais provoqué le moindre malaise.
Ces injections, ont en plus de ce que je viens de
dire, l'avantage immense de n'être renouvelées que
tous les huit ou dix jours. C'est donc au phosphate
de cuivre que j'ai habituellement recours pour
attaquer le bacille par la voie d'absorption sous-
cutanée. Mais il existe des agents antiseptiques
qui peuvent pénétrer directement dans les voies
respiratoires et qui, pour être moins efficaces, sont

cependant des auxiliaires puissants qu'il ne faut pas négliger. Je veux parler de certains corps gazeux ou volatils tels que l'ozone, le thymol, l'acide phénique, l'eucalyptol, le goudron, la térébenthine, la créosote, etc., etc.... En un mot tous les corps qui composent la série aromatique. J'emploie ces agents en inhalations légères dans la chambre des malades, pendant la nuit et même pendant le jour quand ceux-ci doivent garder la chambre.

C'est surtout quand le larynx et les bronches sont le siège d'ulcérations tuberculeuses et le réceptacle de sécrétions et de crachats muco-purulents infectés par les bacilles que ces inhalations rendent de grands services.

Pour soutenir ou pour relever les forces des phtisiques, *les injections sous-cutanées de suc testiculaire* ne peuvent être comparées à aucun autre tonique. Elles ónt une action prépondérante et rapide qui se manifeste par l'abaissement de la température, le retour de l'appétit, la disparition des sueurs et de la diarrhée. Grâce à elles, le malade reprend bien vite courage et espoir. Joignez à cela la pureté de l'air respiré, l'égalité de la température, l'alimentation abondante, naturelle ou artificielle par tous les moyens possibles y compris le gavage, les révulsifs divers et plus

particulièrement les pointes de feu, les larges
cataplasmes sinapisés et les bains de jambes sinapisés, vous aurez tout le secret de la médication
qui m'a donné des succès réels et incontestables.
Injections sous-cutanées de phosphate de cuivre
et de suc testiculaire, inhalations d'ozone ou de
substances de la série aromatique, révulsifs,
aération, alimentation appropriée, voilà ma méthode.

Je puis affirmer que cette méthode, employée
avec intelligence et sagacité assure le succès
dans les proportions énormes de 80 p. 100. Que
les phtisiques au premier et au second degré
viennent avec assurance; à de très rares exceptions près, ils seront guéris. Les observations qui
vont suivre sont la preuve vivante de ce que
j'avance. Ceux qui ont bénéficié de l'emploi de
ma méthode sont là, chacun peut les voir, les
interroger, les examiner.

Chez les phtisiques au dernier degré, le phosphate de cuivre, les inhalations n'ont plus aucune
action, mais le suc testiculaire trouve encore son
application; et c'est sans contredit le moyen le
plus certain de prolonger l'existence qui s'en va.

Ainsi qu'on peut le voir par ce qui précède, le
suc testiculaire n'est pas un remède contre la
phtisie; il n'est, dans ce cas particulier comme

dans beaucoup d'autres cas qu'un auxiliaire.
Mais cet auxiliaire est si puissant que, sans lui, les
agents directs antiseptiques échouent certainement. Après ce que j'ai fait et vu, il n'est pas
permis de nier que la découverte de Brown-
Séquard est dans le traitement des phtisiques un
facteur que non seulement il ne faut pas négliger, mais que sans lui il n'y a pas de salut possible.

Dès le commencement d'avril 1890, c'est-à-
dire bien avant la publication du mémoire du
Dr Uspensky, j'avais fait usage des injections
séquardiennes chez les phtisiques ; et j'aurais
annoncé longtemps avant mon confrère de Saint-
Pétersbourg, le résultat de mes recherches, si
mon illustre maître, Brown-Séquard, ne m'avait
donné le conseil d'attendre encore, ainsi qu'il le
dit lui-même dans sa communication à la Société
de Biologie, le 14 décembre 1890.

Les trois malades qui font l'objet de la note de
M. Brown-Séquard étaient des phtisiques au
deuxième degré. Ces malades, en traitement depuis le mois d'avril et que je considérais au
14 décembre comme guéris, je ne les ai pas perdu
de vue et je puis affirmer que la guérison ne s'est
pas démentie un seul instant malgré la rigueur
de la saison que nous traversons.

Depuis la communication faite à la Société de
Biologie, trois cas nouveaux sont venus s'ajouter
aux trois premiers.

OBSERVATION I

M. D..., trente ans, d'une constitution robuste, né de
parents sains, jeunes, vigoureux, a été pris au milieu
d'une santé parfaite à la suite d'un refroidissement,
d'une *pleurésie double* avec épanchement plus considérable à gauche qu'à droite. De ce fait, M. D... ne se
remit pas ; et dès qu'il voulut reprendre son travail, il
commença à tousser. Les forces au lieu de se relever
continuèrent à diminuer, l'appétit languit, les quintes
de toux fréquentes après les repas provoquaient souvent
des vomissements d'aliments. Le malade fatigué le soir,
dînait sans appétit, avait de la fièvre, dormait mal et
était pris de sueurs vers 3 heures du matin. La température prise régulièrement chaque soir, variait de 38 à
38°,5 et retombait à 37, à 37°,5 le matin. Les digestions
étaient mauvaises, le ventre était ballonné, douloureux
et le malade avait régulièrement quatre à cinq selles
liquides et abondantes en 24 heures. L'amaigrissement
avait été si rapide que du 6 octobre 1888 au 10 mars 1889,
c'est-à-dire en cinq mois, M. D..., avait vu son poids
tomber de 77 à 61 kilog. En janvier 1889, la percussion
accusait de la matité très prononcée à gauche dans les
fosses sus et sous-épineuses. A l'auscultation la respiration était courte, rude avec souffle très marqué au
sommet gauche. En février, le tiers supérieur du poumon
était le siège de râles humides. En même temps, la toux
devenait moins sèche, les crachats étaient verts et plus
abondants. Il n'était plus permis de douter, c'était la
phtisie qui évoluait rapidement dans le poumon. Au
commencement de mars, la moitié du poumon gauche

était envahie par la maladie et j'entendais déjà quelques craquements au sommet du poumon droit. L'examen des crachats au microscope avait révélé la présence de nombreux bacilles de Koch.

C'est à cette date précise, 10 mars 1889, que je commençai les injections sous-cutanées de phosphate de cuivre, à raison d'une injection chaque semaine d'un centimètre cube d'un mélange au dixième de phosphate de cuivre et de gélatine. Dès la troisième injection, la fièvre s'arrêta et le thermomètre ne marqua plus que 37°,5, le soir, et 37°,2, le matin. Les sueurs cessèrent également, l'appétit commença à revenir, les digestions devinrent meilleures, la diarrhée se réduisit à une selle liquide chaque jour. Le malade fit quelques sorties dans l'après-midi, dans le courant d'avril, et, à la fin du mois, le poids du corps était remonté à 63 kilogs, gagnant par conséquent 2 kilog. en 50 jours. Les forces s'étaient relevées suffisamment pour que M. D... put s'occuper de ses affaires pendant quelques heures. J'avais fait à la fin d'avril, six injections seulement. L'auscultation fournissait toujours la perception de râles humides dans le poumon gauche et de quelques craquements à droite. Pourtant il n'était pas douteux que la respiration s'améliorait et que le malade allait mieux. Un temps d'arrêt s'était produit sous l'influence bienfaisante du phosphate de cuivre. Mais, malgré la continuation des injections, les choses restèrent dans le *statu quo* pour le côté gauche. A droite, les craquements avaient disparu, et, à part la rudesse des bruits, la respiration était à peu près normale.

En somme, M. D... était satisfait de son état, lorsque le 25 octobre, il reçut une averse pendant quelques minutes à peine. Le lendemain, il avait un rhume qui ne tarda pas à être le point de départ d'une poussée nouvelle dans le poumon droit. En 20 jours, M. D...

repris de fièvre vespérale violente, de points de côté, de sueurs nocturnes, avait perdu tout appétit et ne pesait plus que 57 kilog. Le thermomètre marquait 38°,5 à 39° le soir, et ne descendait plus au-dessous de 38° le matin. Malgré tous mes efforts, ces 20 jours avaient suffi pour amener dans le poumon droit, dans toute l'étendue de la fosse sus-épineuse, en arrière, et de la fosse sous-claviculaire en avant, les mêmes désordres que dans le poumon gauche. Je rapprochai alors les injections de phosphate de cuivre et les fis alternativement à gauche ou à droite tous les quatre jours.

Du 15 novembre 1889 au 2 janvier 1890, je fis ainsi douze injections. Le même effet que la première fois se produisit : la fièvre s'arrêta, les sueurs cessèrent, l'appétit revint et avec lui un peu d'embonpoint, 60 kilog, malgré l'abondance des crachats. Les choses continuèrent ainsi jusqu'au mois d'avril sans avancer ni reculer. Je pratiquais une injection tous les 15 jours. Les forces continuaient à languir, malgré l'apparition d'une température plus clémente.

Ce fut à ce moment d'avril que je proposai à M. D... de lui pratiquer concurremment aux injections de phosphate de cuivre, les injections de suc testiculaire Je commençai le jour même par l'administration de deux centimètres cubes; et je continuai à raison de deux séances d'injections de deux centimètres cubes de suc testiculaire au vingtième, chaque semaine, et d'une injection antiseptique au phosphate de cuivre. Le 2 juillet, j'avais pratiqué onze injections de phosphate de cuivre et quarante-quatre injections de suc testiculaire en 80 jours. M. D... ne toussait plus, ne crachait presque pas, marchait, montait les escaliers comme tout le monde, mangeait avec un grand appétit, dormait bien. Son poids revenu à 72 kilog. avait regagné 12 kilog. L'auscultation accusait encore de temps en

temps quelques râles sibilants, et l'analyse des crachats
révélait dans ceux-ci la présence d'un petit nombre de
bacilles de Koch.

Je considère que M. D... est guéri, puisque, depuis
le 2 juillet, c'est-à-dire depuis un an, malgré la rigueur
de l'hiver dernier, malgré un travail fatigant, la
maladie ne s'est manifestée par aucun symptôme : ni
l'analyse des crachats, ni la percussion, ni l'auscultation ne permettraient aujourd'hui, au praticien le plus
exercé, de constater les désordres qui existaient à un si
haut degré, il y a 18 mois à peine, dans les deux poumons. M. D... pèse aujourd'hui 80 kilog., c'est-à-dire
3 kilog. de plus qu'avant sa maladie.

OBSERVATION II

M. D..., trente-sept ans, tousse et crache tous les
hivers depuis longtemps. La voix est enrouée de façon
continue, et plusieurs examens au laryngoscope prati-
qués par des spécialistes distingués ont amené un
diagnostic identique : *Phtisie laryngée.* En janvier 1890,
atteint très violemment par l'influenza, il vit tout
à coup son état empirer, si bien qu'en février tout le
sommet du poumon droit était envahi par la tuberculose dont la présence matérielle était révélée à l'auscultation par des râles humides. L'état général était
pitoyable, les crachats d'un jaune vert très abondants
et difficiles à expectorer. Les sueurs étaient profuses
au point d'obliger le malade à changer de linge de corps
trois et quatre fois pendant la nuit. L'appétit était nul
et les aliments, ingérés à contre-cœur, étaient presque
toujours rejetés par les vomissements survenus à la
suite de quintes de toux. Le dépérissement était considérable. De janvier à février, M. D... avait maigri de
20 livres (de 135 à 115 livres).

Le 16 février, je commence les injections de phos-

phate de cuivre au dixième, à raison d'une injection
d'un centimètre cube par semaine, et je fais faire des
inhalations permanentes dans la chambre avec un
mélange d'acide phénique, de térébenthine et de goudron. Le 8 mars, après quatre injections de phosphate
de cuivre, l'état aigu avait cessé. La marche de la maladie subissait un temps d'arrêt, le malade allait mieux ;
je continuai les injections de phosphate de cuivre et
les inhalations jusqu'en avril. Le mieux s'accentua et
M. D... put descendre de sa chambre et sortir quelques
instants dans la journée. Mais, l'analyse des crachats,
l'auscultation et l'examen du larynx ne permettaient
pas de douter que le mieux n'était que temporaire. Du
reste, les forces ne revenaient pas, les pieds restaient
enflés et l'appétit n'était que peu développé. Malgré une
suralimentation à l'aide du gavage, le poids n'avait augmenté que de deux livres. Je résolus d'essayer l'usage
du suc testiculaire en injections sous-cutanées pratiquées concurremment avec les injections de phosphate
de cuivre. Et le 22 avril, je fis deux injections d'un centimètre cube du suc testiculaire au vingtième et une
injection de phosphate de cuivre, et je continuai ainsi
jusqu'au 6 août, à raison de quatre injections de suc
testiculaire et deux injections de phosphate de cuivre,
chaque semaine. J'avais fait du 22 avril au 6 août, en
3 mois et demi, 15 injections de phosphate de cuivre et
60 injections de suc testiculaire. M. D... était complètement guéri, il avait atteint le poids de 140 livres, c'est
à-dire 5 livres de plus qu'il n'avait jamais eu. Depuis
lors, la guérison ne s'est pas démentie un seul instant,
et tout porte à croire qu'elle est bien définitive. Toutes
les fonctions physiologiques de la respiration et de la
digestion s'accomplissent normalement. La voix est
bonne, l'examen au laryngoscope ne montre ni ulcérations ni granulations ; les crachats ne contiennent

plus de bacilles, et l'auscultation ne révèle dans les poumons aucuns vestiges de lésions antérieures.

OBSERVATION III

M. G..., dix-neuf ans, employé à la compagnie du gaz, de bonne taille, robuste, bien développé, est atteint le 27 avril d'une *pleurésie* avec épanchement à droite. Le 11 mai, une ponction fournit 1,100 grammes de liquide purulent. A la suite de la ponction, le malade se remet tant bien que mal, mais dès le courant de juin, les tubercules se développent dans le sommet du poumon gauche, et la phtisie prend une marche aiguë qui fait présager un dénouement fatal et prochain. Le 23 juin, je commence d'emblée le traitement mixte par les injections de phosphate de cuivre et de suc testiculaire, à raison d'une injection antiseptique tous les 5 jours et deux injections de liquide testiculaire au vingtième tous les deux jours. Le 14 juillet suivant le mal est enrayé, et le 12 août, M. G..., est sur pied. Le 25 septembre, il st guéri et reprend son travail. En trois mois, j'avais obtenu la guérison avec 19 injections de phosphate de cuivre et 92 injections de suc testiculaire. Jusqu'à présent rien n'est venu troubler les bons résultats obtenus, et le présent semble répondre de l'avenir.

OBSERVATION IV

M. A..., trente-six ans, commis de banque, est d'une famille de tuberculeux: la mère est morte phtisique à l'âge de 38 ans; le père, herpétique, catarrheux, goutteux cardiaque a succombé à 62 ans, par suite des accidents progressifs d'une insuffisance mitrale d'origine rhumatismale. Cinq enfants sur sept sont morts de phtisie pulmonaire en quatre ans, âgés de 22 à 28 ans. Le frère restant actuellement âgé de 24 ans, et M. A...

qui fait l'objet de cette observation, sont tous deux atteints de tuberculose. Depuis sept ans, je donne mes soins à M. A..., et, chaque année dans le courant du mois de novembre, à l'exception de novembre dernier, des accidents morbides de même nature se sont produits quatre fois dans le poumon droit, deux fois dans le poumon gauche. Ces accidents consistent en une poussée congestive, accompagnée de toux, de douleur contusive dans le dos, d'oppression considérable suivie d'hémoptysie abondante durant plusieurs jours. Puis surviennent des frissons, la fièvre le soir, les sueurs la nuit, l'appétit disparaît complètement, les crachats purulents sont abondants, le malade maigrit et perd rapidement ses forces.

La percussion donne, sur une étendue de cinq à six centimètres, de la matité au début et de la sonorité exagérée à la fin de la crise. L'auscultation révèle l'obscurité du bruit respiratoire et quelquefois son absence complète, puis un bruit de souffle auquel succèdent, par ordre, des râles crépitants et caverneux. Pendant tout ce temps, dont la durée habituelle est de novembre à mai, le thermomètre accuse une température toujours au-dessus de 38 degrés et quelquefois s'élevant jusqu'à 39 degrés le soir. Le poids du malade qui est pendant la bonne saison de cinquante-cinq kilogrammes, s'abaisse pendant la mauvaise à quarante-six et même à quarante-quatre kilogrammes.

Avec les beaux jours, vers le mois de mai, la poussée s'arrête, la fièvre tombe, l'appétit renaît, le mieux s'accentue chaque jour. M. A... reprend ses occupations, perdant chaque année un peu de ses forces et se trouvant avec une caverne de plus.

Depuis plusieurs années M. A... passait une grande partie de l'hiver dans le Midi. En 1889-1890 il fut forcé par ses affaires de rester à Paris, et fut, cette année-là,

particulièrement éprouvé. Il dut garder la chambre
comme les années précédentes, mais sans sortir une
seule fois jusqu'à la fin de mai 1890. Le poids du corps
s'était abaissé jusqu'à quarante-quatre kilogrammes, les
sueurs étaient profuses, et la diarrhée avait fait son apparition à la fin d'avril.

Les beaux jours que M. A... attendait avec impatience
n'avaient amené aucune modification heureuse dans son
état. Nous étions à la fin du mois de juin 1890, lorsque
je proposai l'emploi des injections antiseptiques aux
sels de cuivre combinées avec les injections de suc testiculaire de cobaye. Le malade accepta les injections antiseptiques et refusa les injections séquardiennes. L'examen microscopique des crachats révélait en forte proportion la présence du bacille de Koch.

Au commencement d'août, après six injections, pratiquées à sept jours d'intervalle, le mieux se produisit.
La température tomba à 37°,8 le soir et 37 degrés le
matin, l'appétit quoique languissant revenait un peu, la
diarrhée avait disparu, les sueurs diminuaient, les
quintes de toux beaucoup moins longues et moins fréquentes ne provoquaient plus que rarement des vomissements d'aliments. Le poids s'était relevé à quarante-
six kilogrammes, mais les forces restaient stationnaires,
la marche était pénible et les pieds étaient enflés le
soir. A la percussion et à l'auscultation les signes locaux
ne s'amendaient guère. Le malade sentait qu'une nouvelle poussée était imminente, et tout faisait craindre
que ce serait la dernière. En effet, au commencement
d'octobre, M. A... dut prendre le lit à la suite d'un très
léger refroidissement.

Cette fois, après de chaudes exhortations de malades
que j'avais déjà soignés par ce moyen, je réussis à faire
accepter l'emploi des injections de suc testiculaire. La
première séance eut lieu le 18 octobre, la seconde le 23,

la troisième le 29 du même mois. Une seule injection avait été faite à chaque séance. Enfin, M. A... se sentant un peu mieux et n'ayant plus peur du traitement nouveau, reçut régulièrement à partir du 5 novembre, trois fois par semaine, trois injections d'un centimètre cube de liquide testiculaire pour chaque injection. Le 20 novembre, après six séances, le malade mangeait avec appétit, dormait bien, toussait et crachait beaucoup moins. Le thermomètre accusait 36°,8 le soir et 36 degrés le matin, le pouls était à 76, les forces revenaient, le malade se sentait renaître. Malgré la rigueur de la saison, M. A... n'a pas manqué son bureau une seule fois du 28 novembre jusqu'aujourd'hui 28 mars.

Le nombre des injections antiseptiques a été de seize, et celui des injections séquardiennes de cent vingt-six en quarante-deux séances. Le poids qui était au début du traitement de quarante-quatre kilogrammes, est aujourd'hui de soixante et un kilogrammes, soit dix-sept kilogrammes d'augmentation. M. A... tousse à peine et fait régulièrement ses affaires avec autant de facilité qu'il y a six ou sept ans, c'est-à-dire au début de sa maladie.

L'examen microscopique des crachats pratiqué à nouveau accuse une grande diminution du bacille de Koch.

CONCLUSIONS. — Ces quatre observations prouvent :

1° L'insuffisance de l'injection antiseptique appliquée isolément.

2° L'action réelle et incontestable de l'injection séquardienne chez les phtisiques toutes les fois qu'il y aura urgence à soutenir ou à relever les

forces du malade en dynamogéniant son système
nerveux. Dans ces cas, comme dans tous ceux qui
ont été signalés par mes confrères, les injections
de suc testiculaire ont rendu la force, l'appétit,
le sommeil, en régularisant les fonctions physiologiques dont la bonne harmonie est indispensable
à la santé.

3° Qu'on est en droit de fonder, dans le traitement de la tuberculose, les plus grandes espérances sur l'emploi combiné des injections
antiseptiques au phosphate de cuivre avec les
injections séquardiennes qui sont, par excellence,
l'élément de force et de vie.

Sans les résultats déplorables des injections de
la lymphe de Koch, qui ont, à juste titre, jeté la
panique chez tous les malades, j'aurais aujourd'hui,
au lieu de six résultats acquis (en comptant les
derniers succès obtenus sur les deux malades qui
font l'objet des observations qui suivent) j'aurais,
dis-je, plus de vingt cas à publier. Mais presque
tous les malades qui étaient en traitement ont,
affolés par la peur, abandonné la médication.
Pourtant, on ne saurait trop le répéter, les injections de suc testiculaire pratiquées avec tout le
soin qu'elles réclament sont d'une innocuité
absolue.

27

OBSERVATION V

Lady C..., vingt ans, grande, très maigre, pèse quarante kilogrammes. Son unique frère est mort phtisique
il y a quatre ans, à l'âge de vingt-deux ans. Lady C...
s'enrhume très facilement, mange peu, tousse presque
constamment d'une petite toux sèche. Les règles firent
leur première apparition à treize ans, mais depuis cette
époque, elles ne viennent que très irrégulièrement, en
petite quantité, laissant quelquefois un intervalle de cinq
et six mois entre deux époques. Le médecin de la famille
conseille le séjour en France, et depuis quatre années
lady C... passe six à sept mois sur le littoral de la Médi-
terranée. A plusieurs reprises, depuis quatre ans, des
hémoptysies assez abondantes se manifestent. L'auscultation et la percussion prouvent d'une façon évidente que
le poumon gauche est dans un état permanent de congestion. Pas une semaine ne se passe sans que l'application
de résolutifs plus ou moins puissants soit jugée nécessaire. La tuberculose est là cachée et menaçante, ce
n'est pas douteux, ne demandant qu'une occasion favorable pour éclater. Lady C... vit sans cesse sur un volcan
toujours prêt à s'ouvrir un cratère, et sa famille est
dans une inquiétude de tous les instants. L'hiver dernier, en janvier 1891, Lady C..., en villégiature à Cannes,
eut les pieds mouillés dans une promenade. Malgré tout
l'empressement qu'on mit à la rentrer et à lui donner
les soins nécessaires, la cause déterminante fut suffisante, la fièvre commença le soir même, et quinze jours
plus tard, le sommet du poumon gauche était le siège de
râles humides qui ne laissaient aucun doute sur l'éclo-
sion de la phtisie. La jeune malade déclinait rapidement. Le 15 février, je fus appelé par la famille pour
appliquer le traitement par les injections sous-cutanées

de suc testiculaire. Je conseillai en même temps les injections de phosphate de cuivre, mais la crainte de la douleur empêcha lady C... de s'y soumettre immédiatement. Le 16 février, j'injectai deux centimètres cubes de suc testiculaire au vingtième, et le lendemain une dose égale. Je laissai une provision de liquide au médecin de la famille, qui continua le traitement à raison de deux séances de deux injections d'un centimètre cube par semaine. A la fin de février, la fièvre avait diminué, les forces de la malade étaient un peu revenues, mais la tuberculose n'était pas encore enrayée dans sa marche. Ce fut à ce moment qu'à force de supplications lady C... se décida à essayer, concurremment avec les injections de suc testiculaire, celles de phosphate de cuivre. Le 1er mars, la première injection fut administrée et bien supportée; pendant toute la durée du mois, le médecin traitant fit, tous les cinq jours, une injection antiseptique et, deux fois par semaine, deux injections de suc testiculaire. Dès la cinquième injection antiseptique, c'est-à-dire le 20 mars, la fièvre avait complètement cessé; la malade allait beaucoup mieux, le progrès de la maladie semblait arrêté et la période de réparation commença. En effet, à partir de ce jour, l'amélioration ne fit que s'accentuer, si bien qu'à la fin d'avril, lady C... était de retour en Angleterre, et sa famille m'invitait à aller constater sa guérison. En deux mois, douze injections de phosphate de cuivre et quarante-huit de suc testiculaire avaient été faites. Avec ce traitement, l'appétit s'était développé, les règles étaient venues normalement, le poids du corps avait augmenté de cinq kilogrammes; la respiration, libre dans toute l'étendue du poumon, ne révélait à l'auscultation aucune trace de la maladie grave que venait de traverser lady C.... Depuis cette époque les fonctions physiologiques continuent à s'accomplir normalement. Aucune rechute n'a

paru, bien que tout traitement ait cessé depuis le mois
de mai. Par conséquent, nous pouvons conclure que
cette guérison est définitive.

OBSERVATION VI

Mme H... T..., du Grand-Duché de Luxembourg, vingt-
quatre ans, tempérament lymphatique, est depuis deux
ans atteinte de *phtisie pulmonaire*, caractérisée au
moment où je la vois, par des râles humides, une
caverne au sommet du poumon et un chapelet de ganglions à droite et à gauche. Deux de ces ganglions de
gauche sont ramollis et suppurés. Le 20 janvier 1891,
après avoir opéré le curage des ganglions suppurés, je
commence les injections de suc testiculaire à raison de
deux injections d'un centimètre cube de liquide au
vingtième, deux fois par semaine, pour relever les forces
très déprimées et l'appétit qui est presque nul. Le 10 février, l'appétit commençait à revenir, et les règles, supprimées depuis six mois, reparaissaient. La malade est
un peu mieux, la fièvre a presque disparu le soir; le
thermomètre, au lieu de 38°,5 qu'il accusait avant le
traitement, est tombé à 37°,8. Pourtant l'auscultation
ne révèle aucun changement dans les lésions maté-
rielles de la tuberculose; les ganglions opérés suppurent encore. L'état général continue à s'améliorer
pendant le mois de février et le commencement de mars.
Sous l'influence du traitement séquardien, Mme H... T...
a engraissé de trois livres. Le 26 mars, nouvelle apparition des règles plus abondantes qu'en février. Les
ganglions ne suppurent plus, les plaies sont fermées,
mais les râles humides signalés à droite et la caverne
n'ont subi aucune modification; l'analyse des crachats
décèle la présence du bacille de Koch en quantité presque
aussi considérable que celle constatée par une première
analyse faite par le même chimiste deux jours avant le

commencement du traitement. Je me décide alors, le
31 mars, à pratiquer une injection de phosphate de cuivre
tous les huit jours, sans abandonner pour cela le traitement séquardien. Dès la troisième injection antiseptique,
c'est-à-dire le 15 avril, le mieux progresse avec rapidité:
les crachats deviennent plus blancs et diminuent notablement en quantité. A la fin du mois de mai, Mme H...
T... était tout à fait bien. Les ganglions du cou étaient
à peine perceptibles, les râles humides avaient disparu,
à part un très faible gargouillement dans la fosse sus-
épineuse droite, qui annonçait que la caverne n'était pas
encore cicatrisée; le poids du corps avait augmenté
de huit livres depuis le 31 mars, et de onze livres depuis
le commencement de la médication. C'est à peine si
l'analyse des crachats dénotait encore la présence de
quelques bacilles. Le 5 juillet tout était rentré dans
l'ordre, et je puis dire aujourd'hui, sans crainte de me
tromper, que Mme H... T... est guérie. J'avais pratiqué
en cinq mois et demi quatre-vingt-dix injections de suc
testiculaire et quatorze injections de phosphate de
cuivre.

Ces deux dernières observations, comme les
précédentes, prouvent clairement l'action bienfaisante des injections de suc testiculaire chez les
phtisiques, mais elles démontrent avec non moins
d'évidence que ces injections sans le secours du
traitement antiseptique par le phosphate de
cuivre sont impuissantes à guérir la tuberculose.
C'est avec la combinaison de ces deux agents, auxquels il est souvent utile d'adjoindre les inhalations aromatiques, que la phtisie peut être com-

battue victorieusement. Et je crois pouvoir dire aujourd'hui, sans être taxé de témérité, que je pourrai me rendre maitre de la tuberculose pulmonaire toutes les fois que celle-ci n'aura pas poussé la désorganisation à un degré où toute réparation est devenue impossible.

Pour terminer, je tiens à le répéter une fois encore, parce que c'est la condition *sine qua non* du succès : les injections de suc testiculaire employées seules ne guérissent pas la phtisie; les injections de phosphate de cuivre employées seules ne guérissent pas la phtisie. Unissez ces deux moyens puissants, adjoignez-leur les inhalations aromatiques toutes les fois que les symptômes locaux en fournissent l'indication ; si vous n'arrivez pas trop tard, vous obtiendrez d'une façon certaine, neuf fois sur dix, la guérison d'un mal réputé incurable jusqu'ici.

En pensant que la tuberculose compte pour un quart, ou tout au moins pour un cinquième dans le chiffre total de la mortalité, il est facile de juger l'importance de la découverte de Brown-Séquard sans le secours indirect de laquelle tous les autres moyens restent impuissants malgré leur valeur incontestable.

CHAPITRE XIV

Cas de survie.

OBSERVATION I

M. S. de B..., soixante-treize ans, brightique, était, au dire de plusieurs de nos confrères les plus éminents de Paris, à l'agonie, lorsque son fils, se souvenant des conseils que mon savant maître Brown-Séquard, son ami, avait donné à son père, vint me trouver, me priant d'appliquer la méthode des injections de suc testiculaire. Je me rendis près du moribond, chez lequel je trouvai son médecin ordinaire; et, en présence de ce dernier, je fis trois injections d'un centimètre cube, sans le moindre espoir de succès. Le malade n'avait pas même senti les piqûres. Le lendemain matin, à mon grand étonnement, je trouvai le malade assis sur son lit, le sourire aux lèvres, se croyant guéri et me demandant de prendre un verre de Porto pour fêter sa résurrection. Le malade vécut encore pendant deux mois dans un état de mieux relatif. J'ai fait douze séances d'injections, le mal n'a pas été arrêté, mais le malade a vécu deux mois de plus qu'il n'aurait dû vivre.

OBSERVATION II

(Voir p. 245 l'observation de Mᵐᵉ la comtesse de C...)

CHAPITRE XV

Dernières observations des Docteurs d'Arsonval, Cassanello, Kosturin et Waterhouse (1).

OBSERVATIONS DU Dʳ D'ARSONVAL,

Professeur au Collège d . France.

Dans le courant de cette année, j'ai traité au laboratoire, un certain nombre de personnes par les injections de suc testiculaire dilué. Le liquide provenait du cobaye et était préparé suivant le procédé à l'acide carbonique décrit dans ce recueil. Ce suc ne contenait aucun antiseptique, et l'extrait était fait dans la glycérine au quart.

(1) Archives de physiologie, octobre 1891.

OBSERVATION I

M. P..., cinquante-cinq ans, savant éminent, a vu sa santé s'altérer graduellement à la suite de travaux considérables et de veilles prolongées. Le travail cérébral était devenu fort pénible, les digestions mauvaises, les nuits sans sommeil. Le moindre effort musculaire amenait un épuisement rapide ; la marche était difficile. Il y avait parésie du sphincter vésical et émission inconsciente d'urine, rachialgie et accès de fièvre intermittente alternant avec des frissons et une sensation de froid presque continue, surtout aux extrémités.

Injections quotidiennes de 1 gramme de liquide au vingtième. Dès la troisième injection, la tonicité du sphincter vésical avait reparu, suppression également des accès de fièvre et de la sensation de froid. Au bout d'une semaine, la capacité de travail cérébral était normale, et la marche était devenue assurée sans causer de fatigue. Le malade est revenu complètement à la santé au bout d'un mois. Depuis huit mois, les injections ont été régulièrement continuées et toujours avec le même résultat. Le sujet peut suspendre son traitement pendant dix à douze jours, mais, au bout de ce laps de temps, il est obligé d'y revenir (1).

OBSERVATION II

Dr L..., cinquante ans, praticien, ayant une clientèle très chargée, arrive au laboratoire, en janvier,

(1) L'histoire de ce malade, jusqu'en 1890, se trouve déjà dans les *Archives* (juillet 1880, p. 647). Il y avait déjà eu chez lui une amélioration très notable sous l'influence du liquide testiculaire. Ayant abandonné le traitement, tous les symptômes s'étaient de nouveau montrés.

et me demande d'essayer des injections. Constipation
opiniâtre, anorexie, vertiges, insomnie, en somme
neurasthénie complète. Je lui remets du liquide, et il se
fait chaque jour deux injections de 1 gramme chaque,
liquide, au vingtième. Dès le second jour, la constipation
disparaît à la grande joie du malade, et ne se montre
plus. M. L... continue le traitement en espaçant les
piqûres, et peut vaquer depuis, sans fatigue, à ses nombreuses occupations.

OBSERVATION III

M. X..., trente ans, membre de l'enseignement, attaché
à un de nos principaux laboratoires, est adressé au laboratoire par son chef. Neurasthénie complète, travail
intellectuel impossible, vertiges à chaque instant avec
soufflement d'oreilles, névralgies erratiques violentes
et céphalée presque continue, troubles gastriques et constipation opiniâtre. Commence en mai 1891 les injections
(1 gramme de liquide au vingtième chaque jour). A la
cinquième injection, la constipation, la céphalée et les
vertiges ont disparu. Vers la fin du mois, le malade
avait recouvré une parfaite santé et n'a pas eu de rechute
jusqu'à la fin de juillet, où j'ai cessé de le voir.

OBSERVATION IV

Enfin, j'ai pu constater sur moi-même, et à plusieurs
reprises, les effets toniques si puissants des injections
testiculaires. Le résultat a été surtout remarquable au
point de vue de la résistance à la fatigue corporelle et
intellectuelle. Dans mon cas, les injections ayant d'abord
été faites le soir au moment du coucher, produisirent
de l'agitation et de l'insomnie. Le même effet m'a été

signalé par deux de mes amis, qui s'étaient soumis au
traitement. On évite ce léger inconvénient en faisant,
comme je l'ai toujours fait depuis, les injections avant le
déjeuner.

Je pourrais rapporter bien d'autres observations, mais je me borne à citer les précédentes,
parce qu'elles ont été faites sur des personnes
n'ayant aucun parti pris et habituées, d'autre
part, à l'observation attentive des faits et à la
rigueur expérimentale.

Je pourrais signaler également le cas très remarquable d'un de nos plus célèbres savants, qui est
également un conférencier très goûté, et que j'ai
traité pendant quatre mois au laboratoire. Notre
éminent collègue a recueilli lui-même son observation avec le plus grand soin, et comme il se
propose de la publier *in extenso*, je n'insiste pas.

OBSERVATION DU Dr CASSANELLO (Rome)

Mlle ..., dix-huit ans. Depuis dix mois toux avec crachats
purulents contenant des bacilles de Koch ; perte d'appétit,
fièvre tous les soirs, sueurs nocturnes abondantes, amaigrissement considérable, faiblesse telle qu'elle peut à
peine marcher ; signes caractéristiques de tubercules au
sommet du poumon gauche. Dès après les premières
injections, règles disparues depuis quatre mois sont
revenues ; appétit a reparu ; malade peut faire grandes
courses à pied. Après huit injections, fièvre et sueurs

nocturnes ont disparu ; diminution considérable de toux
et d'expectoration ; absence de bacilles de Koch. Malade
se croyant guérie est partie pour la campagne.

OBSERVATION DU Dr S. D. KOSTURIN (Vienne).

Homme, cinquante-six ans, malade de tabes depuis vingt
ans, douleurs fulgurantes, surtout aux lombes, contrac-
tions spasmodiques, tremblement des mains et des
pieds ; pouvait à peine marcher dans l'obscurité ; pupilles
contractées, peu mobiles ; mains et doigts anesthésiés.
Signes de Romberg et de Westphal très évidents ; peut
à peine écrire ; ne peut porter un verre d'eau à ses lèvres.
Sommeil et appétit mauvais. Déjà, après la première
injection et surtout après la seconde, amélioration marquée. La marche devint moins désordonnée, plus sûre,
le malade devint capable de se tenir debout ses yeux
fermés, tenant ses pieds l'un contre l'autre et de faire
trois ou quatre pas (les yeux toujours clos). Les mains
tremblent moins et il peut écrire assez bien, surtout
avec un crayon ; les douleurs disparurent ; tête libre,
sentiment de force ; sensibilité revient aux mains. Il
importe de faire remarquer que le malade ne savait rien
des injections qu'on lui faisait. Il a continué à s'améliorer pendant les trois mois qui ont précédé la publication de son histoire.

28

OBSERVATIONS DU Dr WATERHOUSE (Londres).

OBSERVATION I

Mme ..., soixante-quatre ans. Contracture du bras et des muscles, du thorax et de la jambe, à droite, après une attaque d'hémiplégie il y a trois ans. Le bras et les muscles thoraciques avaient recouvré complètement leur motilité après 14 injections.

OBSERVATION II

Mme ..., soixante-dix-sept ans. Contracture de la main et du bras gauche après attaque d'hémiplégie il y a cinq ans. Motilité complètement revenue après 15 injections en trois semaines.

OBSERVATION III

Mlle ..., quarante-cinq ans. Arthrite rhumatismale chronique : depui cinq ans n'a pu mouvoir les mains ni les bras. Peut maintenant porter ses mains à sa tête (15 injections en trois semaines).

OBSERVATION IV

Mlle ..., quarante-deux ans. Arthrite rhumatismale chronique depuis quatre ans ; contracture des muscles du cou, de la partie dorsale du rachis, des mains et des bras ; doigts ankylosés. Amélioration aux bras et aux mains, motilité revenue au cou et aux épaules, après 15 injections en trois semaines.

OBSERVATION V

Mlle ..., cinquante-cinq ans. Attaque hémiplégie il y a quinze jours. En quatre semaines 16 injections; pendant ce temps elle devint capable de marcher et gagna puissance considérable à la main.

OBSERVATION VI

M. ..., quarante-huit ans. Dépression mentale et débilité nerveuse; incapacité de s'occuper d'affaires, à la suite d'influenza. Symptômes nerveux guéris après 15 injections, mais la vigueur générale n'est pas entièrement revenue.

CHAPITRE XVI

Le triomphe de la méthode.

LE VACCIN SÉQUARDIEN DANS LES HOPITAUX

Il y a quelques semaines à peine, alors que j'écrivais le chapitre de ce livre intitulé : « l'Avenir de la méthode », je n'espérais guère voir mes prédictions se réaliser à aussi bref délai.

Je disais : C'est à coups de faits que je forcerai les sourds à entendre, les muets à parler, les aveugles à voir, ceux même qui ne veulent ni voir, ni entendre, ni parler.

J'avais raison, car c'est grâce aux faits que je n'ai cessé de répéter et de proclamer hautement

28.

et courageusement, que les sourds ont entendu,
que les aveugles ont vu, que les muets ont
parlé.

Dégagé enfin du cercle étroit dans lequel on
l'avait cantonné à son origine, poussé en avant
par la force irrésistible d'un succès qui va tous
les jours grandissant, le vaccin séquardien, fran-
chissant une muraille plus difficile à franchir que
cel⸱⸱⸱ ⸱a Chine, a fait son entrée dans les hôpi-
ta⸱⸱ ⸱⸱ Paris.

Je suis heureux et fier d'avoir été le premier à
appliquer les injections de suc testiculaire au
traitement des phtisiques. La priorité que je
revendique a, du reste, été publiquement re-
connue par Brown-Séquard dans la communication qu'il a faite à la Société de Biologie le 20 décembre 1890 (Voir pages 7 et 8, note.)

J'attache la plus grande importance à cette
revendication, parce que mes premiers succès
dans le traitement de la phtisie sont la cause
vraie du baptême scientifique que reçoit aujour-
d'hui la méthode séquardienne dans les hôpitaux
de Paris. Les expériences des D⸢rs⸣ Hénocque, Lemoine, Variot, Dumontpallier et Cornil n'ont
pas eu d'autre but que celui de contrôler l'exactitude des faits que j'avais signalés dans la communication du 20 décembre 1890.

Or, la confirmation de ces faits, telle qu'elle ressort des observations qui vont suivre, est la consécration suprême du système des injections de suc testiculaire dans le traitement d'un grand nombre de maladies, et en particulier de la phtisie pulmonaire.

Aujourd'hui, les hommes les plus éminents se portent garants de l'efficacité du nouvel agent régénérateur et s'en font les vulgarisateurs. Le vaccin préparé avec les soins minutieux que j'ai indiqués, non seulement ne présente plus, dans son application, ni la moindre difficulté, ni le danger le plus minime ; mais encore il possède certainement les qualités essentielles au succès. La conservation assurée et indéfinie par mes procédés nouveaux de filtrage et le système des ampoules stérilisées, enlève toute préoccupation de durée et de température pour le transport dans les diverses parties du monde. Enfin, grâce à l'importance et à la perfection de l'outillage de mon laboratoire, le prix des injections devient accessible aux bourses les plus modestes.

Dans ces conditions, la vulgarisation ne peut manquer d'être rapide ; et toutes mes prévisions se trouveront réalisées plus vite que je n'avais osé l'espérer. Ce sera pour moi une satisfaction si grande qu'elle compensera largement les efforts

et les sacrifices énormes que j'ai faits pour assurer le triomphe d'une vérité incontestable mais
malheureusement trop contestée à son origine.

Observations des docteurs A. M***, Varlot, Dumontpallier, Hénocque, Lemoine et Mairet.

ABCÈS DU CERVELET

OBSERVATION I

Le nommé L...., Charles, âgé de vingt-deux ans, de
constitution peu robuste, de tempérament lymphatique,
mais n'ayant jamais été malade jusqu'à ce jour, entre à
l'hôpital le 3 mai 1891 : il se plaint de céphalalgie, de
vertiges et de douleurs d'oreille du côté gauche. T. 39°.
Nous portons le diagnostic d'otite moyenne. Jusqu'au
11 mai les mêmes symptômes persistent, la température oscillant entre 38°,8 le matin et 39°,8 le soir. Le 12,
aggravation de l'état général, douleurs d'oreille plus
vives, délire la nuit, céphalalgie frontale violente, quelques vomissements. T. m. 38°,8. S. 41°. Le 13 et le 14,
même état; le 15 la température retombe à 38°,4 et une
amélioration se produit. Le 16 mai nous constatons
l'existence au niveau de l'apophyse mastoïde gauche

d'un abcès sous-aponévrotique, ce qui nous confirme dans l'opinion que tous ces accidents sont occasionnés par une otite moyenne. Nous donnons issue au pus et faisons un pansement antiseptique. La température redevient normale. Cependant les jours suivants les troubles cérébraux reparaissent, céphalalgie, délire, vomissements, ralentissement du pouls, T. 37°,2 et le 23 au matin nous trouvons le malade dans le coma. Nous décidons la trépanation des cellules mastoïdiennes que nous pratiquons séance tenante avec la gouge et le maillet, au lieu d'élection, à un centimètre en arrière du sillon de l'oreille et au niveau du trou auditif. Nous donnons ainsi issue à environ 80 grammes d'un pus phlegmoneux, sortant par saccades isochrones avec battements du pouls. Le foyer purulent est donc en rapport avec la dure-mère. A la fin de l'opération, L.... reprend légèrement connaissance, ouvre les yeux et pousse quelques gémissements. Le soir à quatre heures, il est complètement éveillé, nous reconnaît et répond à nos questions. Les suites de l'opération sont aussi simples que possible, T. 37°,2 le matin, 37°,8 le soir, jusqu'au 30 où la température, redevenue normale, ne dépassera plus jamais 37°,2. Pendant tout le mois de juin, l'état de L.... reste des plus précaires. Les douleurs de tête disparaissent bien pendant quelques jours, mais lorsqu'elles reviennent sont toujours accusées dans la région *frontale*. L'intelligence est paresseuse. Malgré une véritable boulimie, l'amaigrissement devient de plus en plus considérable; vomissements fréquents, mictions et selles involontaires.

L'état général s'étant un peu amélioré, nous cherchons au commencement de juillet à le relever au moyen d'injections sous-cutanées de suc testiculaire de cobaye, mis gracieusement à notre disposition par M. le docteur Goizet. Les 5, 8, 11 juillet nous injectons 1 centimètre cube de lymphe. Ces injections ayant été bien supportées, nous doublons la dose et 2 centimètres cubes sont injectés tous les quatre jours jusqu'au 26. Enfin le 31, injection de 3 centimètres cubes. Après cette série, 15 centimètres cubes ayant été injectés en un mois, nous constatons une légère amélioration : le pouls s'est relevé, les maux de tête sont moins violents, les vomissements ont aussi diminué, mais l'augmentation de poids n'a été que de 500 grammes. Le 6 août, nous reprenons le traitement : nous injectons maintenant tous les jours 1 centimètre cube. A partir de ce moment les forces reviennent rapidement; en huit jours L... augmente de 2^{k,}500; les maux de tête et les vomisse_ments disparaissent; l'embonpoint fait des progrès; les mictions et les selles redeviennent volontaires. Notre malade commence à se lever et nous pouvions espérer la guérison, lorsque le 12 août, à quatre heures du matin, L.... meurt subitement.

Quelle a été notre surprise, à l'autopsie, de ne rencontrer aucune lésion de l'oreille moyenne, mais une destruction complète de tout l'hémisphère cérébelleux gauche réduit à l'état de coque et renfermant environ 100 grammes d'un pus vert comme de la bile ! Ainsi une lésion aussi considérable du cervelet avait pu permettre une survie de trois mois. Dans un cas aussi peu favorable, l'action dynamogénique du suc testiculaire de cobaye a été cependant remarquable : sous son influence nous avons vu successivement disparaître les troubles cérébraux, la nutrition et les forces reprendre d'une façon inespérée, le malade entrer en pleine convalescence. (Dr A. M.)

Dᵉ VARIOT (Hôtel-Dieu de Paris),

OBSERVATION I

Homme, quarante-deux ans. Ataxie locomotrice, l'in-coordination des mouvements rendant la marche presque impossible. 22 janvier, injection de 2 centimètres cubes. Dès le lendemain, le malade accuse une notable amélioration. La force revient, dit-il, dans ses jambes; la marche paraît un peu meilleure. Il est moins sensible au froid; il est très satisfait, son sommeil est meilleur; il a des selles naturelles, ce qui ne lui arrivait pas; il affirme sentir plus de souplesse dans ses membres; sa vue s'est améliorée. Il n'a eu que 8 injections.

OBSERVATION II

Homme, trente-deux ans. Vaste excavation tubercu-leuse, sous clavicule droite. 18 janvier, injection 2 gram-mes de liquide testiculaire. Appétit s'augmente; malade très satisfait du traitement; sommeil meilleur nuit sui-vante. Le 19 expectoration devient presque nulle. Le 22, disparition absolue de sueurs nocturnes; appétence géni-tale. Le 24, amélioration continue; sommeil très calme sans quintes de toux.

OBSERVATION III

Homme, trente-deux ans. Lésion cavitaire circonscrite au sommet poumon droit. Nutrition générale encore bonne : c'est un tuberculeux et non un phtisique, mais il avait d'abondantes sueurs et des crachements de sang. Le malade prétend avoir dormi mieux que depuis trois ans, la nuit qui a suivi la première injection (2 centimètres cubes de liquide). Après 4 autres injections quotidiennes, les sueurs ont complètement cessé. Au bout de trois semaines le malade se trouve assez bien du traitement, mais il sort de l'hôpital, les signes cavitaires persistant.

OBSERVATION IV

Homme, vingt-quatre ans. Infiltration tuberculeuse étendue, du sommet des deux poumons; tuberculisation intestinale; congestion à base des poumons. Forme fébrile. Le 19 janvier, on commence des injections de 2 centimètres cubes du liquide à faire chaque jour. Chute de la température. Le 20, élévation thermique le oir; nuit suivante mauvaise; appétit diminué. Le 21, léger abaissement thermique, sueurs nocturnes ont disparu. Le 22, sommeil devient meilleur; sueurs n'ont pas reparu; diarrhée diminue, mais tout persiste, expectoration aussi abondante. Le 25, sueurs ont un peu reparu. On continue injections : on en fait 14, après lesquelles aucun changement n'a été constaté.

OBSERVATION V

Homme, vingt-neuf ans. Tuberculose pulmonaire et intestinale. Diarrhée, fièvre, amaigrissement, etc. Injections de 2 centimètres cubes du liquide quotidiennement pendant une semaine, sans amélioration, excepté que les sueurs, qui étaient très abondantes, ont été à peu près supprimées.

OBSERVATION VI

Homme, soixante-seize ans. Paralysie agitante. Ne peut se tenir debout ni lever les jambes au-dessus du plan du lit. Il n'y a d'amélioration manifeste qu'après la quatrième injection (de 2 centimètres cubes). Le malade, très satisfait, a pu lever la jambe droite (la plus faible des deux), à plusieurs reprises, à 25 centimètres au-dessus du plan du lit. Il peut marcher un peu (quelques pas). Malheureusement, on n'a pu lui faire que 8 injections.

OBSERVATION VII

Homme, soixante-quatre ans. Hémiplégie gauche; contracture du bras; réflexes exagérés. Après quelques injections de 2 centimètres cubes (il y en a eu 12), appétit augmenté; forces en partie revenues, moins de torpeur; bras paraît moins rigide, sensibilité moins obtuse.

————

Dr DUMONTPALLIER (Hôtel-Dieu de Paris).

« Dès les premiers jours des injections, les malades se trouvent mieux, leur appétit était meilleur, l'expectoration diminuait de quantité et la toux de fréquence. Les sueurs nocturnes étaient moins abondantes; le sommeil était meilleur et les malades réclamaient l'usage régulier des injections. Ils disaient se sentir plus forts et en général ils demandaient leur sortie de l'hô-

pital cinq à six semaines après le début du traitement
et ayant eu 59, 47 ou 56 injections.

« Il est regrettable que l'examen bacillaire des crachats n'ait pas été pratiqué et que le poids des malades
n'ait pas été pris au commencement et à la fin du traitement. Quoi qu'il en soit, il convient de tenir compte
de l'amélioration que les malades accusaient dans l'état
général de leur santé — et cela est d'autant plus remarquable qu'aucun traitement autre que les injections
n'était prescrit, et que le régime alimentaire seulement
et le repos pouvaient avoir leur part dans le mieux
constaté. Les faits établissent que, pendant toute la
durée du traitement uniquement par les injections (et
le retour de l'appétit ayant permis d'alimenter les malades), *un mieux bien appréciable a été constaté par
toutes les personnes qui observaient les malades.*

« A l'appui des remarques ci-dessus, je joins trois
feuilles de relevé des températures qui témoignent de
la régularité avec laquelle les injections ont été pratiquées et du soin avec lequel les températures ont été
prises. Il est, je crois, très important de noter que, pendant toute la durée du traitement, la température, qui
était prise dans le rectum par des thermomètres à
maxima, n'a jamais été supérieure à 38°, et que le plus
souvent elle oscillait entre 37° et 37°,6. »

Dᵣ HÉNOCQUE (Hôpital de la Charité de Paris).

(Service du Dᵣ Cornil.)

OBSERVATION I

Homme atteint de pneumonie au premier degré.
Du 16 au 20 mars, on injecta 14 centimètres cubes de

liquide testiculaire. L'état général du malade s'améliora très rapidement. Il gagna 1ᵏ,5 en neuf jours. La quantité d'oxyhémoglobine, qui était de 9,3 p. 100, s'éleva à 11 p. 100. Pendant les cinq jours d'injections, la température oscilla entre 36°,6 et 37°,8. Le dynamomètre montra une augmentation de force. Les sueurs nocturnes diminuèrent dès la seconde injection. Malheureusement le malade sortit de l'hôpital.

OBSERVATION II

Homme, vingt-huit ans. Phtisie au deuxième degré, 31 injections de 3 centimètres cubes de liquide testiculaire, du 11 avril au 23 mai 1891. Il y a eu chez ce malade : amélioration de l'état général, qui s'est montrée par une augmentation de poids et de la quantité d'oxyhémoglobine, absence de fièvre, la régularisation de la température; le relèvement des forces qui a été très prononcé. L'état organique des poumons s'est amélioré à gauche et il est resté stationnaire à droite. Les deux figures qui suivent montrent ce qui a eu lieu quant à la température. On peut voir qu'en mars il a eu une fièvre très vive. En avril, avant les injections, le malade allait mieux, mais il avait encore de la fièvre, et, comme on peut le voir, surtout les 5, 7, 9, 10 et 11 avril. Le jour où l'on a commencé les injections, le 11 avril, le thermomètre a marqué 38°,6; mais, le lendemain matin, il n'était qu'à 37°, et à partir de ce jour-là jusqu'au 28 mai, il est resté presque constamment entre 37° et 37°,8, température normale du rectum.

OBSERVATION III

Homme atteint de phtisie au premier degré, compliquée de glycosurie. Faiblesse considérable; température

élevée : 39°,2, le matin ; 38°,2, le soir. Sucre urinaire,
de 4 à 10 grammes par jour. On fit 26 injections de
3 centimètres cubes chacune. Pendant la période des
injections, la température a oscillé de 37° à 38°,2. Poids
augmenté de 1 kilogramme. Amélioration des forces,
rapide d'abord, puis progressive. La quantité d'oxyhémoglobine, qui était de 9 p. 100 le jour de la première
injection, après des oscillations, a atteint 11 p. 100
quatre jours après la dernière injection. L'activité des
échanges s'est élevée de 0,45 à 1,10.

OBSERVATION IV

Homme, trente-deux ans. Pneumophymie ; phtisie
laryngée, période ultime. Mangeait et dormait à peine
depuis plusieurs semaines ; toux incessante ; aphonie
complète ; plus de deux litres d'expectoration purulente
par jour, état cachétique extrême. Malgré ces très mauvaises circonstances, les injections testiculaires pendant
une vingtaine de jours produisirent une amélioration
évidente, l'expectoration diminua, le malade prit de la
nourriture ; il put parler ; la température rectale tomba
de 38°,8 à 37°,5, dans les trois premiers jours des injections et du 25 mars au 30 avril elle resta entre 37° et 38° ;
il y a eu arrêt de la perte de poids. Cependant l'état
organique s'est aggravé et le malade est mort une
semaine après la suspension du traitement.

D' LEMOINE (hôpital de Lille).

OBSERVATION I

Femme, dix-huit ans. Tuberculose pulmonaire au premier degré; état général mauvais; appétit presque nul; pas de règles depuis trois mois. A partir du 14 février, injection quotidienne: 1 centimètre cube de liquide testiculaire. Le 16, malgré un peu de fièvre (36°,9 le soir), un peu plus alerte; mange un peu mieux. Le 17, pas de fièvre (soir); rachialgie violente; bon appétit. Le 19, règles venues; état général meilleur; gaîté et vigueur reviennent. Rachialgie diminuée; appétit très grand. Le 21, suractivité et pétulance notoires; excitation sexuelle assez vive. Le 10 mars, injections suspendues depuis quelques jours, pourtant amélioration continue; les joues se colorent. Le 12, état général excellent. Toutes les fonctions normales (menstruation, digestion, sommeil, etc.). Le 17, amélioration s'est continuée, excitation génitale. Le 31, se croyant absolument guérie, la malade sort de l'hôpital. Du 14 février au 31 mars, son poids s'est augmenté de 2 kilogrammes, la lésion pulmonaire est stationnaire, mais la malade ne tousse et ne crache pas.

OBSERVATION II

Jeune homme, dix-huit ans. Tuberculose pulmonaire, premier degré. 14 février 1891 : on commence injections de liquide testiculaire, et on en fait une chaque jour

ensuite (1 centimètre cube chaque fois); pas de fièvre.
Le 15, malade se sent plus fort; érections répétées hier
après-midi; complète apyrexie. Le 16, érections fréquentes. Le 18, état général excellent; vif appétit; grand
besoin de se mouvoir. Dans nuit rêve et émission abondante de sperme. Le 21, mieux être s'accentue; toux
moins fréquente; enrouement disparaît. Le 23, se croyant
guéri, le malade quitte l'hôpital. L'état des poumons
n'avait pas changé.

OBSERVATION III

Homme, trente-un ans. Bronchite généralisée et tuberculose pulmonaire au premier degré. A partir du 16 février, on injecte chaque jour 1 centimètre cube de liquide
testiculaire. Le 17, pas de fièvre; érections nuit précédente. Le 18, appétit perdu, revient. Malade se sent plus
fort, il tousse moins; a bronchite diminue. Érections
répétées. Le 19, l'amélioration s'accentue; toux beaucoup moins fréquente; les signes de bronchite disparaissent. Appétit excellent. Érections répétées. Le 20, il
sort très amélioré. Son poids à peu près comme au
début.

OBSERVATION IV

Femme, vingt ans. Congestion et induration du poumon
gauche ou tuberculose au deuxième degré au sommet.
Asthénie musculaire et nerveuse très marquée; appétit
nul; anémie. 16 mars : à partir de ce jour, une injection
quotidienne (1 centimètre cube) jusqu'au 1er avril. Le 19,
malade éprouve besoin de se mouvoir; se sent plus forte;
appétit se montre. Le 20, activité et appétit augmentent.

Le 24, état satisfaisant s'accentue ; vigueur et pétulance notoires ; très grand appétit. Le 27, malade reprend des forces et des couleurs vue à d'œil ; grande gaîté. Le 31, mieux être s'accroît ; toutes les fonctions plus actives. 6 avril, pas d'injections depuis six jours ; on les reprend. État général excellent. Le 13, amélioration continue à s'accentuer. Le 20, la malade veut s'en aller : ses forces sont revenues. Au poumon les lésions ont peu changé ; il semble pourtant que l'air y circule plus librement et que la congestion ait diminué. Au sommet gauche toujours quelques craquements. Le poids de la malade pris à cinq reprises, du 24 mars au 20 avril, est graduellement monté de 44^{kil},200 à 46 kilogrammes. Le 24 avril, elle sort en excellent état, ne toussant plus, ne crachant plus, et elle se croit complètement guérie.

OBSERVATION V

Adolescente de treize ans. Pneumothorax suivi d'hydropneumothorax ; suppuration indiquée par oscillations thermométriques ; rétraction du thorax. Dépérissement et amaigrissement rapides. Poids : 32 kilogrammes. On commence le 14 avril injection quotidienne du liquide, 1 centimètre cube. Le 16, appétit meilleur. Elle devient gaie et se croit plus vigoureuse. Le 17, très grand appétit. Le 20, poids 32^{kil},100 ; elle reprend vie et couleurs ; forces reviennent. Le 28, appétit considérable ; digère très bien et engraisse ; respiration bonne autant que permettent les lésions. Avant le traitement elle était toujours couchée ; depuis elle s'est levée et s'est promenée beaucoup. Elle se sent si bien qu'elle quitte l'hôpital.

D' MAIRET (Hôpital de Montpellier).

« Il s'agit d'une femme de cinquante ans, ayant mené une conduite irrégulière, et qui depuis quelque temps était dans un état de dépression intellectuelle et physique considérable. Elle mouillait et salissait sous elle; elle restait inerte sur une chaise dans un état d'extrême hébétement; sa démarche était mal assurée ; bref, l'ensemble de son état physique et intellectuel faisait penser à l'existence d'une de ces paralysies générales bâtardes, comme on en rencontre dans nos asiles. J'instituai chez elle le traitement par le liquide testiculaire et j'eus la bonne fortune de voir, sous son influence, le système musculaire reprendre sa ténacité, l'état d'hébétude intellectuelle disparaître et la malade reprendre son animation ordinaire... L'affaiblissement intellectuel persiste, peu marqué, mais réel... L'amélioration produite a été telle que cette femme a pu sortir de l'asile et reprendre sa vie au dehors, restant seulement légèrement tarée dans son intelligence. Dans ce cas l'action du liquide testiculaire a été manifeste : je ne suis arrivé au résultat que je vous indique qu'à la suite de trois séries d'injections, séparées l'une de l'autre par un intervalle de trois semaines à un mois environ, et chaque série a produit un progrès dans la marche vers l'amélioration. D'ailleurs, la malade elle-même reconnaissait le bien que lui faisaient les injections et, lors de la troisième série, alors que déjà son intelligence s'était très raffermie... bien qu'elle craignît beaucoup les piqûres, elle demandait de nouvelles injections. »

M. Mairet ajoute qu'il fait toujours usage, dans

son service d'hôpital, du liquide testiculaire, qui
continue à lui donner de bons résultats dans la
stupeur lypémanique, contre laquelle il l'a employé l'an dernier avec le succès qu'on connaît.

———

CHAPITRE XVII

Dernier mot.

En consignant des observations où le résultat a toujours été heureux, je n'ai pas eu d'autre but que de chercher à bien établir les cas dans lesquels la médication séquardienne a réussi, et par conséquent réussira encore, afin que les malades qui sont dans des conditions analogues à celles que j'ai décrites ne perdent pas l'espérance et viennent à moi avec confiance. Faut-il en conclure que les injections de suc testiculaire guérissent tous les malades? Non! loin de moi cette prétention! je ne guéris malheureusement pas tous les malades. Il y a pour cela deux raisons : la première, c'est que la puissance humaine a des

limites que nous n'avons pas encore franchies et
que nous ne franchirons sans doute jamais; la
deuxième tient à ce que les malades ont recours
à la méthode quand le mal a fait dans l'économie
et dans les organes des ravages tels qu'il est
matériellement impossible de les réparer. Enfin,
il y a une catégorie de malades qui sont réfrac-
taires à toute médication. Je dois dire que ceux-là
sont en petit nombre, à qui les injections sous-
cutanées de suc testiculaire ne rendent pas un
service plus ou moins marqué. Si rares que soient
ces exceptions, elles existent. Il est même impossible de les prévoir : tel malade que je jugeais
presque à coup sûr justiciable de la découverte
de Brown-Séquard, n'en a retiré aucun bienfait,
quand tel autre, dont je croyais le cas beaucoup
moins favorable, a recueilli les meilleurs résultats
de la médication.

Je ne puis m'empêcher de citer, à ce propos,
un professeur de la Sorbonne, dont le cas pathologique paraissait réunir toutes les conditions les
plus propres à un succès prompt et complet. Il a
suivi le traitement pendant plusieurs mois avec
une foi sans bornes, une régularité et une persévérance dignes d'éloges, sans obtenir aucun
résultat, alors qu'il voyait défiler devant lui une
série de malades dont je n'avais pas espéré la

guérison, et qui tous s'en allaient proclamant hautement le bien qu'ils devaient à la méthode.

La méthode donne ce qu'elle peut donner. Beaucoup sont appelés à en ressentir les salutaires effets; et les exceptions n'empêcheront pas la découverte de Brown-Séquard d'être un des bienfaits les plus grands dont notre siècle ait doté l'humanité.

———

TABLE DES MATIÈRES

DEUXIÈME PARTIE

TABLE ALPHABÉTIQUE

PARIS. — IMP. C. MARPON ET E. FLAMMARION, RUE RACINE, 26.

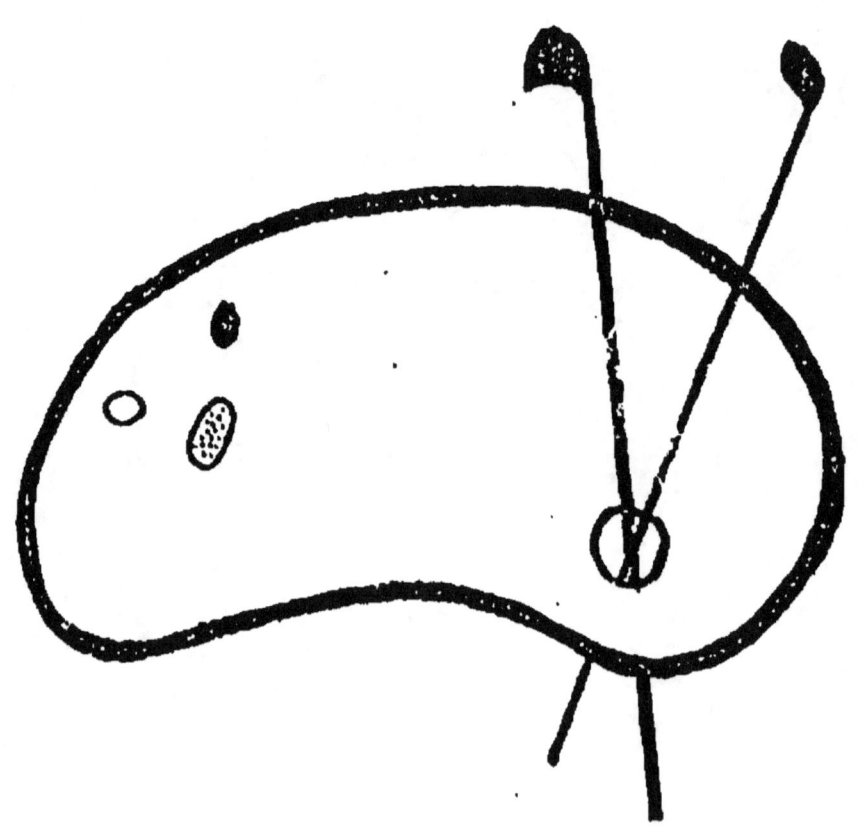

www.ingramcontent.com/pod-product-compliance
Lightning Source LLC
Chambersburg PA
CBHW071435050526
44396CB00005BA/775